NACHTELIJK VUUR

SYLVIA DAY

Nachtelijk vuur

Vertaling Eefje Bosch

HarperCollins

© 2008 Sylvia Day
Oorspronkelijke titel: *Heat of the Night*
Vertaling: Eefje Bosch
Omslagontwerp: Katya Kholyapina/Van de Wall Vormgeving
Omslagbeeld: WGXC/iStock
Zetwerk: Mat-Zet B.V., Soest
Druk: CPI Koninklijke Wöhrmann B.V.

ISBN 978 94 027 06901
NUR 343
Eerste druk 2016

Originele uitgave verschenen bij HarperCollins Publishers LLC, New York, U.S.A.
Deze uitgave is uitgegeven in samenwerking met HarperCollins Publishers LLC
© Nederlandse uitgave: HarperCollins Holland
HarperCollins Holland en Harlequin Holland zijn divisies van Harlequin Enterprises Limited
www.harpercollins.nl

Aan mijn familie, die me in mijn carrière altijd enorm steunt, zonder ook maar een enkele klacht te uiten over hoeveel ik werk/schrijf. In één jaar negen boeken uitbrengen vraagt een hoop van een schrijver, en zij hebben er met zoveel goedheid en liefde de prijs voor betaald.

Dank jullie wel dat jullie mijn droom hebben omarmd en jullie levens eraan hebben aangepast. Ik heb geen woorden om uit te drukken hoeveel dat voor me betekent. Jullie geven me kracht.

Ik hou van jullie.

Dankwoord

Graag wil ik mijn meelezer Annette McCleave bedanken (www.AnnetteMcCleave.com). Zij hielp me de richting te vinden voor het begin van dit boek.

Een dikke knuffel voor de geweldige auteurs en dierbare vriendinnen Renee Luke, Sasha White en Jordan Summers, die aan de andere kant van het IM-scherm zaten als ik iemand nodig had om te luisteren, medelijden te hebben, en me een welgemikte trap onder mijn kont te geven.

Aan mijn zus, Samara Day, die heel wat te stellen heeft met mij en mijn aversie tegen de telefoon.

Jij bent een van de dierbare lichten in mijn leven, Sam. Vanaf de dag dat je werd geboren hou ik met heel mijn hart van je. Nu je bent uitgegroeid tot een vrouw die ik bewonder en respecteer, hou ik alleen nog maar meer van je. Je bent een zegen waar ik elke dag dankbaar voor ben.

Hoed u voor de Sleutel die op het Slot past
en de Waarheid onthult.

Hoofdstuk 1

DE SCHEMERING

Met een volmaakt gericht blaaspijltje schakelde Connor Bruce de dichtstbijzijnde wachter uit.

Het was een bliksemaanval, maar het duurde even voor het verdovende middel zijn werk deed. De wachter had nog net tijd om het pijltje eruit te halen en zijn zwaard terug te trekken voor hij zijn ogen naar achteren wegrolde en op de vloer tot een hoopje rode kleren in elkaar zakte.

'Sorry, kerel,' mompelde Connor, terwijl hij zich over het gevallen lichaam boog en het communicatieapparaat en zwaard van de wachter opraapte. De man zou als hij wakker werd alleen nog maar het vage gevoel hebben dat hij in slaap was gedommeld, misschien wel uit verveling.

Connor ging weer rechtop staan en floot een zachte, zangerige vogelroep, om Luitenant Philip Wager te laten weten dat zijn taak erop zat. Door het terugkomende fluitje wist hij dat de andere Tempelwachters in de omgeving ook onschadelijk waren gemaakt. Binnen een paar tellen was hij omringd door twaalf manschappen. Ze hadden een donkergrijze, nauw aansluitende mouwloze strijderstuniek aan met bijpassende losse broek. Connor droeg dezelfde kleding, maar die van hem was zwart, om zijn rang van Kapitein van de Elitestrijders mee aan te geven.

'Daarbinnen zullen jullie dingen zien waar je van zult schrikken,' waarschuwde Connor, onder het suizende geluid van zijn zwaard, dat hij uit de schede op zijn rug trok. 'Blijf je concentreren op de missie. We moeten zien te achterhalen hoe de Oudsten Kapitein Cross vanuit het bestaansniveau van de Dromer terug naar de Schemering hebben kunnen halen.'

'Ja, Kapitein.'

Wager richtte een radiografisch zendertje op de enorme rode *torii*-poort die de ingang vormde naar het Tempelcomplex. Op die manier werd er tijdelijk een storing veroorzaakt in de videocamera die alle bezoekers vastlegde. Met een mengeling van woede, afschuw en verwarring keek Connor naar de doorgang. Het bouwwerk was zo imposant dat elke Beschermer er wel naar moest blijven kijken om de waarschuwing te lezen die er in de oeroude taal in stond gegraveerd: HOED U VOOR DE SLEUTEL DIE OP HET SLOT PAST.

Al eeuwenlang had hij samen met zijn teamleden op de Dromer gejaagd, van wie was voorspeld dat die dwars door de droomtoestand heen hun wereld zou binnentreden om hen te doden. De Dromer die hun ware gedaante zou zien en wist dat ze niet werden gevormd door zijn of haar nachtelijke fantasie, maar dat ze echte wezens waren die de Schemering bevolkten – de plek waar de menselijke geest heen ging als hij sliep.

Maar Connor had deze beruchte Sleutel al eens ontmoet, en het was allerminst het schrikbeeld van hel en verdoemenis geweest. Het was een slanke-maar-welgevormde blonde dierenarts met grote, donkere ogen en veel empathie voor anderen.

Allemaal leugens. Al die jaren, gewoon vergooid. Gelukkig voor de Sleutel – ook wel bekend als Lyssa Bates – had Kapitein Aidan Cross, legendarisch strijder en Connors beste vriend, haar als eerste gevonden. Hij had haar gevonden, was verliefd op haar geworden, en was met haar mee naar het niveau van de stervelingen gevlucht.

Nu was het Connors missie om de mysteriën van de Oudsten te ontrafelen, en alles wat hij moest weten werd bewaakt in de Tempel van de Oudsten.

Kom mee, vormde hij met zijn lippen.

Met uiterst precieze timing haastten ze zich door de poort. Ze splitsten zich op in twee teams, die allebei langs één kant van de met keien bestrate binnenplaats renden, zigzaggend om de gecanneleerde albasten pilaren heen.

Er stond een zacht briesje, met de geur van wild gras en bloemen die in de buurt groeiden. Op dit tijdstip was de Tempel altijd gesloten voor publiek en trokken de Oudsten zich terug om te mediteren. Het perfecte tijdstip om in te breken en alle informatie en geheimen te stelen die ze maar konden vinden.

Connor ging als eerste de *haiden* binnen. Hij stak drie vingers omhoog en zwaaide daarmee naar rechts terwijl hij de linkerkant op liep. Drie Elitestrijders gaven gehoor aan dit stilzwijgende bevel en namen de oostkant van de ronde kamer voor hun rekening.

De twee teams bewogen zich door de schaduw, zich terdege bewust van het feit dat hun inval bij de minste of geringste misstap door de videocamera's kon worden opgepikt. In het midden van de enorme ruimte stonden rijen bankjes in halve cirkels opgesteld, die uitkeken op de doorgang met pilaren waar ze zojuist door naar binnen waren gekomen. Er waren zo veel bankjes, in verschillende lagen opgestapeld, dat de Beschermers al lang geleden niet meer hadden kunnen bijhouden welke Oudsten op die bankjes allemaal de scepter zwaaiden. Dit was de kern van hun wereld, het centrum van recht en orde. De zetel van de macht.

Toen ze weer bij elkaar kwamen in de middelste gang die naar de *honden* liep, bleef Connor even staan, en de anderen wachtten zijn instructie af. De gang aan westelijke zijde liep naar de woonvertrekken van de Oudsten. De gang aan de rechterkant liep naar een afgezonderde meditatiebinnenplaats in de openlucht.

In deze middelste zuilengang werd het bizar. Na zijn eerste – en tot nu toe enige – Tempelinbraak, was híj daarop voorbereid, maar zijn manschappen niet.

Met opgetrokken wenkbrauw keek hij hun kant op, om ze in stilte te waarschuwen zijn eerdere bevel in acht te nemen. Bars knikten ze terug, en Connor vervolgde zijn weg.

Ze liepen verder, toen hun aandacht ineens naar de vloer werd getrokken door een trilling onder hun voeten. Het steen glom en werd helemaal doorzichtig, waardoor het net leek of de grond uit elkaar was gevallen en ze op het punt stonden om in een eindeloze sterrendeken neer te vallen. In een reflex greep hij naar de muur. Hij klemde zijn kiezen op elkaar; toen ging het beeld van de ruimte over in een duizelingwekkende caleidoscoop van kleuren.

'Jezus,' zei Wagner zachtjes.

Connor had precies hetzelfde gezegd toen hij voor het eerst door deze gang had gelopen. Elke stap veroorzaakte een rimpeling in de kleuren, waardoor de suggestie werd gewekt dat het, wat het ook mocht zijn, reageerde op hun aanwezigheid.

'Is dat echt?' fluisterde Korporaal Trent fel. 'Of een soort hologram?'

Connor stak zijn hand omhoog om de mannen eraan te herinneren dat ze hun mond moesten houden. Hij had geen flauw idee wat dat godvergeten ding zou kunnen zijn. Hij wist alleen dat hij er niet naar kon kijken vanwege een ziekmakende hoogtevrees.

Ze liepen langs de privébibliotheek van de Oudsten om bij de controlekamer te komen. Daar zat één Oudste, een eenzame bewaker, verloren in een enorme ruimte met hoge muren met planken vol ingebonden boeken en een groot bedieningspaneel. Naar goed gebruik van de Oudsten was hij achtergebleven, terwijl de anderen zich 's middags hadden teruggetrokken. Hij was de pechvogel die een verdovend pijltje in zijn nek had mogen ontvangen. Connor sleepte zijn bewusteloze lichaam opzij om Wager toegang te verlenen tot het halvemaanvormige bedieningspaneel van de touchpad.

'Ik zet de video wel op herhaling, zodat je niet wordt opgenomen,' zei de luitenant.

Wager stond op en ging aan het werk, met rechte rug en zijn benen iets uit elkaar. Al snel werd hij volledig in beslag genomen door zijn taak. Zijn lange, zwarte haar en stormachtige grijze ogen gaven hem een rebels uiterlijk dat goed paste bij zijn reputatie van ongeleid projectiel. Vanwege zijn wispelturige karakter was hij eeuwen langer dan gepland tweede luitenant gebleven. Connor had hem onlangs gepromoveerd tot eerste luitenant, wat hij daar ook aan mocht hebben. Opstandelingen hadden de erkende Elitestrijdersregimenten verlaten om de rebellenfactie in te lijven.

Omdat hij er het volste vertrouwen in had dat Wager het afspeuren van de database wel alleen afkon, zette Connor twee wachters naast de ingang. Twee andere mannen nam hij mee om het terrein fysiek uit te kammen. Niet zo lang geleden had hij bij de Tempel ingebroken met alleen Wager als achterwacht. Maar door de recente coup hadden de Oudsten zich genoodzaakt gezien meer bewakers in te zetten, waardoor Connor twaalf man moest meebrengen om het complex te bestormen: zes buiten en zes binnen.

Met snelle passen liepen ze verder de gang door, hun gezicht afgewend van de duizelingwekkend snel draaiende caleidoscopische vloer. Door de dakraampjes boven viel er licht naar binnen, en een doorzichtige deur aan het eind van de gang bood een zonovergoten uitzicht op de overkant van de meditatiebinnenplaats.

Toen ze bij een deuropening aankwamen, gebaarde Connor dat er iemand naar binnen moest. 'Kijk of je iets ongewoons ziet.'

De man knikte en liep met getrokken zwaard, klaar om toe te slaan, de deurloze kamer binnen. Connor herhaalde dit met de tweede soldaat. Op die manier ging hij door, net zolang tot hij in zijn eentje overbleef. Hij stapte de eerstvolgende kamer in.

Het was een donkere ruimte – niet zo gek omdat er niemand in zat – maar het bevreemdde hem wel dat het licht niet aanging. Om iets te kunnen zien moest hij gebruikmaken van het licht dat vanuit de gang naar binnen viel.

Het midden van de kamer was leeg, maar langs de muren stonden op elkaar gestapelde wagentjes op wieltjes. Er hing een ziekenhuisgeur. Zijn nekharen kwamen overeind toen zijn oog viel op een stevig vergrendelde metalen deur in de muur. Er zat een dikglazen kijkraampje in het bovenste deel van de enorme afsluiting, maar of dat nou was om naar binnen of naar buiten te kijken kon hij niet zeggen. Hoe dan ook, de deur was een behoorlijk afschrikwekkend middel en wat erdoor beschermd werd moest wel heel belangrijk zijn.

'Wat zit er verdomme achter jou?' vroeg hij zich hardop af.

Connor stapte over de kleine touchpad in de hoek en begon er snel op los te rammen. Hij moest het godvergeten licht zien aan te krijgen, om erachter te komen waar hij in vredesnaam mee te maken had. Een pressiemiddel was welkom op dit moment, dus een waardevol stuk waarvoor hij losgeld kon vragen zou prima van pas komen. Door een van de vele opdrachten die hij invoerde begon het paneel snel te piepen, en vervolgens werd de kamer langzaam maar zeker steeds lichter.

'Yes!' Met een grijns draaide hij zich om, om de kleine ruimte met de stenen vloer en kale witte muren te bekijken.

Door het scherpe gesis van afnemende hydraulische druk zette hij een stap naar achteren. Op de een of andere manier had hij de deur ook open weten te krijgen, wat het er allemaal een stuk gemakkelijker op maakte.

Wat er toen gebeurde zou voor altijd in Connors geheugen gegrift blijven staan. Hij hoorde een gebrul dat klonk als razernij vermengd met angst, waarna de zware deur met zo'n explosieve kracht openvloog dat deze zich verankerde in de aangrenzende muur.

Met getrokken zwaard stond Connor klaar om te vechten. Waar hij niet op bedacht was, was de verschijning die naar hem uithaalde, een lichaam dat er vanbuiten uitzag als een Beschermer, maar dan met gitzwarte ogen zonder oogwit en tanden met vlijmscherpe punten.

Connor verstijfde, vol afschuw en verwarring. Een andere Beschermer doden was het allerergste wat je kon doen en voor zover hij wist was er al in geen eeuwen meer een moord gepleegd. Daardoor bleef zijn hand roerloos op het moment dat hij normaal gesproken zou hebben uitgehaald, waardoor de brute kracht in de gelegenheid werd gesteld om hem op de grond te smijten – een prestatie die nooit eerder was geleverd, omdat hij simpelweg veel te fors gebouwd was.

'Verdomme!' kreunde hij toen hij met een kracht die zijn botten liet kraken op de stenen ondergrond belandde.

Het ding had zich boven op hem gestort, een niet-onaanzienlijke man vol onverklaarbare gewelddadigheid. Het gromde en worstelde als een hondsdol beest. Connor gaf een ruk en rolde weg. Hij had zijn ene hand om de gespannen nek van zijn belager en met de andere vuist deelde hij brute klappen uit, waar de man eigenlijk compleet buiten westen van zou moeten raken. Hij voelde een jukbeen onder zijn knokkels kraken en een neus verbrijzeld worden, maar de verwondingen leken zijn belager weinig te deren, zelfs al kreeg hij totaal geen adem meer.

Connor voelde met een verraderlijke kracht een diepe angst opkomen. Die zwarte ogen waren bezeten van een woeste razernij. De huid van zijn onderarm werd er door dikke klauwen af gerukt. Hoe versloeg je een vijand die geen ziel had?

'Kapitein!'

Connor keek niet op. Hij draaide weer op zijn rug en strekte zijn arm in de volle lengte, om zo de belager bij zijn keel op afstand te houden. Er suisde een zwaard door de lucht dat de bovenkant van zijn schedel eraf kliefde. Het gestolde bloed spatte in het rond.

'Wat was dat in vredesnaam?' riep Trent, die iets boven Connors hoofd stond met het dodelijke wapen in zijn handen.

'God mag het weten.' Connor smeet het lichaam opzij. Vol walging keek hij omlaag naar zichzelf. Met een aarzelende vinger voelde hij aan de smurrie waar hij mee besmeurd was. Het was dik en zwart, leek op oud bloed en stonk daar ook naar. Zijn blik ging naar het lijk, waarvan het gezicht tot aan de wenkbrauwen nog helemaal intact was. Rondom zijn oren en nek groeide lang haar. De huid had een ongezonde teint en het vlees hing losjes aan de botten. Op de handen en voeten zaten lange, dikke reptielachtige klauwen. Maar het waren de gitzwarte, zielloze ogen en de openstaande muil die het wezen zo angstaanjagend maakten. Daardoor werd een uitgemergelde, ziekelijk ogende man veranderd in een vervaarlijk roofdier.

Het droeg alleen een los vallende witte broek die onder de vlekken en scheuren zat. In de rug van zijn hand stond een brandmerk: HB-12. Een snelle blik in de cel waaruit de belager was ontsnapt leerde Connor dat die bestond uit een dikke metalen binnenkant die royaal was uitgehold.

'Jouw kamer is wel echt een stuk interessanter dan de mijne,' zei Trent. De luchthartigheid van zijn opmerking werd tenietgedaan door zijn overslaande stem.

Connor hijgde, meer door woede dan door de geleverde inspanning. 'Dit is nou precies het soort shit waardoor we in opstand zijn gekomen!'

Vrijwel iedereen zou beamen dat hij met zijn rustige aard niet bepaald geknipt was om een opstand te leiden, en het volledig bij het rechte eind hebben. Jezus, hij kon nog steeds nauwelijks geloven dat hij ooit die stap had gezet. Maar er waren verdomme te veel vragen, en alle antwoorden die hij had gekregen waren leugens. Ja, hij was een man die de dingen graag zo simpel mogelijk hield – *wijn, vrouwen en de beest uithangen*, zoals hij altijd zei – maar hij zag er ook niet tegen op om in actie te komen wanneer dat nodig was en het voortouw te nemen.

Het was zijn taak om anderen te beschermen, zowel de Dromers als de rustigere Beschermers. Zijn volk bestond uit duizenden, opgedeeld in bepaalde specialiteiten. Elke Beschermer had zijn eigen talent. Sommigen waren teder en boden troost aan Dromers met verdriet. Anderen waren speels en vulden dromen in over sporthelden of babyshowers. Je had de Sensuelen en Genezers, Verzorgers en Uitdagers. Connor behoorde tot de Elite. Hij doodde Nachtmerries en beschermde zijn mensen. Als hij ze ook tegen de Oudsten moest beschermen, dan was dat maar zo.

'We kunnen nu echt niet meer doen alsof er niet is inge-broken in de Tempel,' betoogde de korporaal.

'Nope,' zei Connor instemmend, 'dat is inderdaad uitge-sloten.'

Op dit moment kon hem dat eigenlijk niet zo gek veel schelen. Sterker nog, hij wilde dat de Oudsten zouden we-ten dat hun geheimen niet langer veilig waren. Hij wilde dat ze achterom zouden blijven kijken. Hij wilde dat ze zich net zo onrustig en op hun hoede zouden voelen als hij. Dat waren ze hem toch wel op zijn minst verschuldigd, na van hem gevraagd te hebben om zijn leven op het spel te zetten voor iets wat helemaal niet bestond.

Wager kwam de kamer in gerend, op de voet gevolgd door twee andere Elitestrijders. 'Wow!' zei hij, toen hij bij-na uitgleed over de smurrie. 'Wat is dát in vredesnaam?'

'Joost mag het weten.' Connor trok zijn neus op.

'Ja,' zei Wager instemmend. 'Het stinkt een uur in de wind. Hierdoor is waarschijnlijk ook het alarm op het be-dieningspaneel afgegaan. Ik durf te wedden dat er op dit moment al versterkingstroepen onderweg zijn, dus we kunnen maar beter maken dat we hier wegkomen.'

'Hebben we nog iets nuttigs uit de database kunnen ha-len?' vroeg Connor, die een handdoek van een van de kar-retjes langs de muur griste. Hij wreef over zijn gescheurde huid en kleren om zo veel mogelijk van de op bloed gelij-kende substantie weg te halen.

'Ik heb maximaal gedownload. Het zou miljarden jaren

duren om alles te pakken te krijgen, dus ik heb geprobeerd me te richten op de bestanden die het meest intrigerend klonken.'

'Daar zullen we het maar mee moeten doen. Kom mee.'

Ze vertrokken met dezelfde omzichtigheid als waarmee ze gekomen waren. Ze speurden de omgeving nauwgezet af. Toch zag niemand van hen de Oudste wiens donkergrijze gewaad zo goed wegviel in de schaduw.

In stilte en onopgemerkt stond hij daar. Te glimlachen.

Hoofdstuk 2

'Waar is Luitenant Wager?' vroeg Connor, terwijl hij zijn blik liet rondgaan in de hoofdspelonk, die diep onder water lag en als hoofdkwartier diende voor de rebellenfactie in de Schemering.

Boven hun hoofden lieten honderden piepkleine videoschermpjes verschillende scènes zien, alsof het filmpjes waren, kijkjes in de openliggende geesten van duizenden 'Mediums' – Dromers die hier zonder slaap heen waren gebracht. Ze zweefden rond in de Schemering, meer wakker dan slapend, maar niet volledig bij bewustzijn.

De mensen noemden dit proces van het gedwongen opwekken van onderbewuste gedachten 'hypnose'. Wat voor naam ze er ook aan gaven, hun bestemming was deze spelonk. Hier hadden de Oudsten op hen gelet en ervoor gezorgd dat de Nachtmerries hun onderbewuste stroming niet zouden gebruiken om naar het niveau van de stervelingen te komen.

'Achterin, meneer,' antwoordde de Elitestrijder die op wacht stond aan de riviermonding, de enige fysieke in- en uitgang.

Met een knikje van erkenning draaide Connor zich om

en liep de hele met stenen ingelegde gang door. Deze was uitgehouwen in het hart van de berg en leek eindeloos. Door de duizenden identieke deuropeningen aan weerszijden was het moeilijk je er te oriënteren. Stuk voor stuk waren ze gevuld met glazen kokers, die roerloze Oudsten in opleiding bevatten. Zijn manschappen moesten nog zien uit te vogelen wie het precies waren, en waarom ze op die manier werden bewaard.

Om eerlijk te zijn vond Connor het allemaal maar griezelig, en hij was geschokt door het besef dat hij eeuwenlang had geleefd zonder ook maar iets over zijn wereld te weten, noch over de Oudsten die er de scepter zwaaiden. Hij werd misselijk als hij bedacht hoe koppig hij was geweest toen Aidan hem had gevraagd na te denken over alles wat hun niet werd uitgelegd. Hij was blind geweest voor de aanwijzingen die zijn vriend al zo lang hadden dwarsgezeten.

Ritmisch weerklonk het geluid van Connors laarzen toen hij met snelle, geagiteerde tred naar zijn onderbevelhebber liep. Algauw namen de geluiden uit het grootste vertrek af en werd het stil. Helaas kon je het woord 'groot' alleen gebruiken als je het vertrek vergeleek met de andere hierbeneden.

Eigenlijk was het een verdomd kleine ruimte, omdat hij was ontworpen om bewoond te worden door maar drie Oudsten in opleiding. De hoofdspelonk stond volgepropt met een halvemaanbedieningspaneel en een enorm scherm vol snel flikkerende beelden. Afhankelijk van de hoek waarin hij ging staan, kon een Beschermer dwars door de vertoning naar de kamer erachter kijken, een ruimte gevuld met stromingen – brede stralen bewegend licht die gedachtestromen uit het onbewuste voorstelden.

Connor snoof. Hij moest voor de zoveelste keer toegeven dat hij het concept van de Schemering nog steeds niet helemaal begreep. Aidan had hun leraar op de Elite-academie met eindeloos veel vragen bestookt over waar ze vandaan kwamen en waar ze nu waren. De eenvoudigste uitleg die Connor had gehoord was dat hij de Schemering moest zien als een appel: ingekorte ruimte was het gat dat er door een worm doorheen werd geboord, oftewel een 'wormgat'. Maar in plaats van er aan de andere kant weer uit te komen, hadden de Oudsten een manier gevonden om de Beschermers binnen te houden. Die holte noemden ze de Schemering. Connor noemde het vooral verwarrend.

'Wager!' brulde hij terwijl hij door een van de gewelfde deuropeningen liep en de luitenant geconcentreerd aan een bedieningspaneel zag staan.

De man, die jonger was dan hij, sprong op en keek hem toen pissig aan. 'Ik schrik me een ongeluk!'

'Sorry.'

'Geloof ik niks van.'

Connor grijnsde. 'Goed dan, je hebt gelijk. Mij is vandaag al een paar keer de stuipen op het lijf gejaagd. Nu was het jouw beurt.'

Wager schudde zijn hoofd, kwam overeind en rekte zijn

lange, pezige lichaam uit. 'Goed u weer eens te zien lachen.' Hij sloeg zijn armen over elkaar en ging met zijn benen wijd staan. Het was een knappe kerel, vrouwelijke Beschermers vielen bij bosjes voor zijn 'bad-boy'-charme.

Vrouwen. Altijd dol op gevaar.

'Er valt anders maar bar weinig te lachen. Ik ben vandaag door een of ander gedrocht aangevallen, mijn beste vriend is ervandoor met de Sleutel en ik moet nodig een potje neuken.'

Wager gooide zijn hoofd naar achter en lachte. 'De dames zullen u vast ook missen. Ik heb gehoord dat er lofzangen worden geschreven op uw uithoudingsvermogen. Meidenavondjes staan garant voor de uitwisseling van flink wat verhalen.'

'Echt niet.'

'Echt wel. Morgan noemt u "de gouden man met de gouden pik".'

Connor voelde dat hij rood werd en ging ongemakkelijk met zijn hand door zijn iets te lange blonde haar. 'Je lult. Zoiets zou ze nooit tegen jou zeggen.'

Wager trok zijn zwarte wenkbrauwen op. 'Morgan?'

Ineens zag Connor het beeld voor zich van de slanke Speler-Beschermer met de donkere ogen. Licht spottend trok hij zijn mondhoeken omhoog. 'Of misschien toch wel, ja.'

'Eerst gaat Cross ervandoor, nu zit u in ballingschap... Menig hartje zal gebroken zijn achtergebleven.'

'Zelf ben je ook een populaire gast.'

'Ach, ik heb zo mijn charmes,' sprak de luitenant lijzig.

'Soms, als ik sta te wachten tot Cross verbinding met de Schemering maakt, kijk ik over de heuvel naar de stromingen van de Dromers en overweeg dan serieus om er eentje te bespringen. Al was het maar voor een halfuurtje of zo.'

Wagers vrolijkheid ging over in de diepe concentratie die hem tot zo'n verdomd goede strijder maakte. 'Hoe gaat het met de stroming van Kapitein Cross? Komt die al wat duidelijker door?'

'Nee.' Connor krabde in zijn nek. 'Die is nog steeds duister. Dat heeft vast iets te maken met het feit dat de stroming in verbinding staat met die dorre vlakte in plaats van met de Vallei.'

Voor de meeste Dromers gold dat hun onderbewuste in verbinding stond met de Schemering in de Vallei der Dromen. Ze raakten de levens van Beschermers door middel van brede, goudkleurige stralen die de vallei uit schenen en door de mistige lucht priemden tot ze uit het zicht verdwenen. De verschillende stromingen van onderbewuste gedachten gingen zo ver als het oog reikte.

'Eigenlijk geloof ik dat dat alleen een uiting van het hele probleem is, niet de oorzaak.' Toen Connor zijn wenkbrauw optrok, legde Wager uit wat hij bedoelde: 'Omdat we fysiologisch verschillen van de mens, vermoed ik dat onze hersengolven zich op een compleet andere golflengte bevinden. Daardoor staat de stroming van Cross op een ander punt in verbinding met de Schemering en komt hij met een zwakker signaal binnen.'

Toen Aidan de droomtoestand binnenging, bereikte hij hen in een blauwe stroming. Terwijl de andere stromingen glashelder waren – bijna alsof je door een dunne waterval heen keek – was die van Aidan *sneeuwachtig*, als een televisiezender met slechte ontvangst.

'Oké.' Connor slaakte een zucht. 'Dat werpt een heel nieuwe blik op de zaak.'

'Reken maar.'

'Volgens Korporaal Trent had je een nieuwtje voor me?'

'Ja.' Wager rolde zijn schouders naar achteren alsof hij de spanning wilde ontladen.

Connors nekharen kwamen overeind. 'Laat me raden. Het is geen goed nieuws.'

'Toen ik informatie aan het verzamelen was van de datachips die ik in de Tempel had gedownload, stuitte ik op een verwijzing naar "HB-9".'

'Dat ding in de Tempel was gebrandmerkt met "HB-12".'

'Ik heb het gezien, ja.' Bars perste de luitenant zijn lippen op elkaar. 'Helaas was het bestand met informatie over het HB-project incompleet, doordat de download voortijdig werd afgebroken.'

'Shit.' Connor fronste. 'HB-*project*? Wat betekent dat?'

'Het betekent dat dat ding onderdeel uitmaakte van een groter programma, maar ik kan niet zeggen hoe groot precies.'

'Fuck.' Connor had zin om ergens op te slaan. 'Als er nog meer van die gedrochten zijn, hebben we een probleem.'

'Op zijn zachtst gezegd, ja.'

'Ik móét Cross waarschuwen.'

'Ja.' Wager knikte wijs. 'En omdat hij zich niet herinnert wat u hem in zijn dromen allemaal vertelt, zult u het persoonlijk moeten doen.'

'Wát?' Connor staarde hem aan. 'Ben je wel helemaal lekker?'

'U hebt zo'n ding gezien,' betoogde de luitenant, 'en ermee gevochten. Daarmee hebt u een voorsprong. Trent is de enige andere Elitestrijder die het in actie heeft gezien en u weet best dat hij nog niet klaar is voor een missie van dit kaliber.'

Connor gromde en begon te ijsberen door de kamer met stenen muren.

'Sta er eens even bij stil, Kapitein. Is er ook maar iemand die u voldoende vertrouwt om Cross de ernst van de situatie mee te delen? Ik zou niemand kunnen bedenken.'

'Ik vertrouw jou.'

Wager zweeg en schraapte toen zijn keel. 'Dank u wel, meneer. Dat waardeer ik zeer. Maar u moet mij hier hebben om de inhoud die we van de database hebben gedownload door te spitten, en de chemie tussen u en Kapitein Cross is uniek. Al eeuwenlang hebben jullie de Elitestrijders in goede gevechtsvorm gehouden met een hoog moreel en een laag percentage gesneuvelden. En jullie zijn bevriend. Volgens mij kunnen jullie elkaars steun goed gebruiken in een nieuwe wereld, waarin jullie het misschien tegen een nieuwe vijand zullen moeten opnemen.'

'Het is geen goed idee om de officier van de hoogste rang weg van de troepen te sturen. Het staat me niet aan. Voor geen meter.' Connor wierp een blik op de Oudste in opleiding die in de dichtstbijzijnde glazen koker lag te slapen, zich nergens van bewust. Zij hoofd hing omlaag, met zijn kin op zijn borst; zijn lichaam werd omhooggehouden door een onzichtbaar hulpstuk. Deze had donker haar en was nog heel jong. Net geen puber meer, schatte Connor.

'Mij staat het ook niet aan, maar zet de feiten eens op een rij. Ik ben de beste persoon om de database te doorzoeken en u bent de beste persoon om met Cross samen te werken. Als we dat zouden omdraaien, zouden beide missies nog voor ze waren begonnen al op een achterstand staan. Dat kunnen we ons niet veroorloven.'

'Verdomme, dat weet ik ook wel.' Connor ging met beide handen door zijn haar. 'Ik ben het ook met je eens. Maar het hele principe staat me niet aan.'

'Ik weet dat u mijn mening ondersteunt. Ik weet dat ik alleen maar hardop uitspreek wat u denkt. Eerlijk gezegd zou ik willen dat ik kon gaan.' Wager glimlachte, en er lag een spottende twinkeling in zijn grijze ogen. 'Ik heb zelf ook een Dromer die ik graag eens zou willen opsporen.'

'Dat meen je niet.'

Wager haalde zijn schouders op. 'Maar u bent degene die moet gaan. Ik ben prima in staat om de boel hier in goede banen te leiden.'

'Dat weet ik.' Connor slaakte een zucht. 'Jij had al lang geleden promotie moeten krijgen.'

'Dat weet ik nog zo net niet,' zei de luitenant ontspannen. 'Mijn emoties zitten me vaker in de weg dan de bedoeling is. Ik boek wel enige vooruitgang, maar dat heeft me eeuwen gekost.'

Connor wendde zich naar de open poort. 'Ik ga wel even met de mannen praten. Zoek jij even een Medium in Zuid-Californië.'

'Kapitein?' riep Wager hem na.

'Ja?'

'Nog even over uw terugkomst…'

Verbeten drukte Connor zijn kiezen op elkaar. Hij trok zijn wenkbrauwen vragend op.

'Ik heb nog iets ontdekt. Als we fysiek meereizen met de stroming van onderbewuste gedachten van een mens, laten we een traceerbaar lijntje achter. Dat kan vervolgens weer worden gebruikt om de Beschermer mee terug te "trekken".'

'Is dat hoe de Oudsten Aidan hebben teruggehaald?'

'Kennelijk. Mocht het nodig zijn dan kunnen we u op dezelfde manier terughalen. Maar… het Medium wordt daar wel door beschadigd.'

'Beschadigd?'

'Het is fataal voor mensen.' De luitenant sloeg zijn armen over elkaar en ging steviger op zijn hakken staan, een houding waarvan Connor inmiddels wist dat hij die aannam om zich op een moeilijke taak voor te bereiden. 'Beroertes, gedilateerde cardiomyopathie... met "plotseling overlijden" tot gevolg.'

'Shit.' Connor stak zijn hand uit naar de ingang van de poort en leunde ertegenaan. 'Daardoor is het dus geen haalbare kaart om tussen de twee niveaus op en neer te reizen.'

'Ik vermoed dat dat de reden is waarom we daar nog niet naartoe zijn verhuisd,' zei Wager instemmend. 'Zelfs niet met een paar man. We zouden wachters moeten achterlaten om te verhoeden dat Nachtmerries de stromingen zouden gebruiken. Geen enkel bataljon zou die opdracht voor altijd willen uitvoeren en we zouden er op zijn minst genoeg moeten achterlaten om de toestroom van Nachtmerries vanuit de Poort af te dammen en de Vallei te beschermen.'

'Maar we zouden ze niet kunnen aflossen omdat er duizenden Mediums gedood zouden worden als we op en neer bleven reizen.'

'Inderdaad.'

Elke Beschermer was zich bewust van zijn verantwoordelijkheid. Hun eigen wereld was binnengevallen door Nachtmerries, een ras van schaduwachtige, vluchtige parasieten. De Oudsten hadden een scheurtje gecreëerd binnen de ingekorte ruimte. Dat had gediend als een poort naar dit kanaal tussen de menselijke dimensie en de dimensie die de Beschermers gedwongen hadden moeten verlaten. De Nachtmerries waren al gauw gevolgd en hadden zich door een enorme barrière heen gedrongen – de Poort – en langs honderden Elitestrijders. 'We hebben het echt verknald door de Nachtmerries binnen te laten. We kunnen het probleem niet terugdraaien door ze te doden of hun wereld in te nemen.'

Met een bars knikje liet Connor zijn blik door de ruimte gaan, terwijl zijn hoofd vat probeerde te krijgen op het feit dat hij zou vertrekken. Misschien zou hij hier wel nooit meer terugkomen. Een paar minuten geleden zou hij die gedachte hebben omarmd. Nu voelde hij zich stuurloos. Hij rook de muffe geur van de vochtige lucht en voelde het ruwe steen onder zijn hand, maar zelfs door die zintuiglijke prikkels wist hij niet te aarden. Hij voelde zich compleet losgeslagen. 'Ik begrijp het. De mensen moeten in leven blijven.'

'Ja, voor ons plichtsgevoel, maar ook voor ons eigen voortbestaan. We zouden de top van hun voedselketen wegvagen, en daarmee zou de hele predatieorde worden verstoord. Na verloop van tijd zouden ze uitsterven; en als er een hele schakel wegvalt, zou dat een verwoestend effect op de Aarde kunnen hebben. Dat zou op zijn beurt weer kunnen doorwerken in het heelal en verder. Dan zouden we een…'

'Ho ho, zo kan-ie wel weer,' gromde Connor, die zijn

handen verdedigend de lucht in stak. 'Mijn hoofd slaat op tilt. Maar het principe is duidelijk.'

'Sorry.'

'Maakt niet uit. We kunnen dit aan. Elitestrijders kunnen alles aan.' Connor rechtte zijn rug, haalde diep adem en concentreerde zich op zijn taak. 'Zoek een Medium in Zuid-Californië. Ik ga me voorbereiden en de missie aan de anderen meedelen.'

'Ja, meneer.' Wager salueerde.

Connor deed hetzelfde, draaide zich toen om en liep weg.

Connor keek naar de stromen goudkleurig licht en zoog zijn longen vol lucht. Hij bedacht dat Aidan nog maar een paar weken geleden precies dezelfde reis had gemaakt. Als hij het kon, kon Connor het ook.

Maar Cross was hier niet gelukkig, fluisterde een stemmetje in zijn hoofd. Connor was dat wel. Hij was altijd tevreden geweest.

'Bent u er klaar voor, Kapitein?'

Hij keek door het glazen beeldscherm naar het bedieningspaneel waar Wager aan het werk was en knikte grimmig.

'De stroming aan uw rechterkant zal u naar een Medium te Anaheim in Californië brengen, ongeveer een uur verwijderd van Temecula, de plek waar Kapitein Cross met Lyssa Bates samenwoont.'

'Begrepen.'

'Deze stromingen werken anders dan die van de Dromers.' Wager leunde achterover in zijn stoel, zijn gezicht was een en al spanning. Er ontsnapten lange plukken van zijn zwarte haar uit zijn staart. Zijn uiterlijk stond in schril contrast met zijn reputatie van boekenwurm: hij had eerder iets weg van een Hell's Angel dan van een computernerd. 'Ze zijn in beweging. U zult hun onderbewuste in springen en afreizen naar hun bestaansniveau. Uw aankomst daar zal een tijdelijke storing teweegbrengen, waardoor er een hapering in de tijd zal worden veroorzaakt.'

'Een hapering?' Connor fronste.

'Ja, een enorme vertraging. Een seconde voor hen zal voor u een minuut zijn. Ik weet niet zeker hoe dat zal aanvoelen. Niet zo best, lijkt me. Maar als u opschiet, zal het u in staat stellen te vertrekken zonder opgemerkt te worden. Anders lijkt het voor de mensen net of u daar van het ene op het andere moment staat. Dat wordt lastig uitleggen, dus als ik u was zou ik het zekere voor het onzekere nemen.'

'Geen probleem. Ik zal me snel uit de voeten maken.'

'Ik zal u via uw dromen weten op te sporen, net zoals u Kapitein Cross altijd in zijn dromen hebt ontmoet.'

Connor stak zijn duim omhoog. Meer kon hij niet doen onder deze omstandigheden. De brok in zijn keel was te groot om nog een woord uit te kunnen brengen.

Hoewel hij al eeuwenlang leefde, had hij zich het grootste deel van zijn bestaan niet veel ouder gevoeld dan toen hij met Aidan was afgestudeerd aan de Elite-academie. Natuurlijk kon hij niet meer de hele nacht doorneuken en de volgende dag fris en fruitig weer Nachtmerries verscheuren. Maar dat was eerder een steek voor zijn mannelijke trots dan een teken van ouderdom.

Op dit moment echter voelde hij de jaren drukken.

Wager slaakte een zucht. 'Ik bewonder je enorm, Bruce. Volgens mij ben ik zenuwachtiger dan jij.'

'Nee hoor. Ik weet het alleen beter te verhullen.' Hij wendde zijn gezicht naar de juiste stroming. Zijn zwaard zat stevig op zijn rug en hij droeg een schoon uniform. Hij was er helemaal klaar voor. 'Ik zie je aan de andere kant,' zei hij.

Toen sprong hij.

Wilde beesten rukten zijn ledematen af en beukten zijn schedel tegen een rots.

Zo voelde het tenminste voor Connor toen hij langzaam maar zeker tot een vaag bewustzijn kwam. Hij moest al zijn krachten gebruiken om zijn hoofd op te heffen. Zijn ogen kreeg hij nauwelijks open. Knipperend probeerde hij zich te concentreren op waar hij was.

Het was donker, op de veelkleurige lichtjes na die in de nachtelijke lucht glinsterden. De geur waar zijn neus mee werd gevuld was heftig, overweldigend. Muskusachtig, rokerig, misselijkmakend. Connor voelde hoe zijn maag zich omkeerde. Zijn hoofd zat vast in een bankschroef. Zijn tanden deden pijn. Zijn haarwortels prikten en brandden.

Hij ging dood. Als je je zo afschuwelijk voelde, kon je gewoonweg niet blijven leven. Dat was onmogelijk.

Connors gedachten begonnen pijnlijk op gang te komen, aangedreven door puur overlevingsinstinct.

...Je bent er van het ene op het andere moment... Dat wordt lastig uit te leggen...

Hij wist niet zeker of er überhaupt wel iemand was aan wie hij het zou kunnen uitleggen. Het leek erop dat hij een stroming had genomen die hem rechtstreeks naar een dimensie van de hel had gevoerd. De stank in de lucht was zo erg dat hij er bijna van over zijn nek ging.

Connor hees zijn bovenlichaam overeind, kreeg het voor elkaar om op zijn hurken te gaan zitten en hield die houding even vast om bij te komen. Alles om hem heen draaide. Hij kreunde van ellende en greep zijn middel vast.

'Godsamme.'

Met korrelige ogen keek hij om zich heen. Langzaamaan werd zijn omgeving scherper. Er lonkte een dun straaltje licht en Connor stak zijn hand ernaar uit... waarna hij direct weer languit achteroverviel. Er was een gordijn. Toen hij dat opzijtrok zag hij een enorme conferentiezaal. Er stonden mensen vlakbij, ontzettend dichtbij, verstild in het moment.

Het was een of andere sciencefictionconferentie. Sommige aanwezigen waren verkleed in kostuums die varieerden van buitenaardse wezens tot robots.

Connor keek achterom en liet zijn blik door de ruimte dwalen. Hij zat in een of ander klein, geïmproviseerd tentje. Alles was zwart. De vloer was hard en koud, maar er lag een ruw jutekleed op. Vlakbij stond een ronde tafel die was gehuld in zwaar materiaal. Daarop stond een wereldbol, waar het licht vandaan kwam dat – zo realiseerde hij zich nu – door het plafond werd gereflecteerd. Er lag een vrouw op de gestoffeerde tafel, met haar ogen dicht, verloren in de hypnotische toestand die hem hiernaartoe had gebracht. Connor vermoedde dat ze 'in trance' was gebracht door de man die op dit moment over haar heen gebogen stond om geld uit haar handtas te stelen.

Connor snoof van afgrijzen. Hij kwam wankel overeind en probeerde niet door zijn neus te ademen. Hij trok de portemonnee van de man uit zijn achterzak en leegde hem.

'Karma, klootzak.'

Hij vertrok zo snel als hij dat met zijn trillerige benen kon. Er klonk een zacht gezoem, het geluid van woorden die in hun meest onvolgroeide vorm werden gevormd. Het was hem niet duidelijk hoe hij het voor elkaar kreeg om zich een weg door de menigte te banen. Hij werd belaagd door de geuren van de menselijke wereld. Nepgeuren, zoals parfum. Etensluchten. Lichaamsgeur.

In de Schemering en in het onderbewuste van de Dromers werden dat soort zintuiglijke waarnemingen afgezwakt of teruggebracht tot hun meest basale vorm. Maar in werkelijkheid dus niet. Connor zag zich gedwongen om bij een vuilnisbak naast de uitgang te blijven staan om over te geven.

Hij vond het hier maar niks. Hij had heimwee. Hij wilde terug naar huis. Hij verlangde naar een thuis waar hij van hield en dat hij nu al verschrikkelijk miste.

Maar toch duwde hij de glazen deur van het Anaheim Conferentiecentrum open en liep naar buiten, zijn nieuwe wereld in.

Stacey Daniels wist heus wel dat het belachelijk was om op de bank te zitten tieren. Ze zou dolgelukkig moeten zijn dat ze even wat tijd voor zichzelf had.

'Ik zou eigenlijk een afspraak bij de pedicure, manicure en kapper moeten maken,' mompelde ze.

Ze zou eigenlijk die knappe UPS-chauffeur moeten bellen die altijd farmaceutische producten afleverde bij het Bates All Creatures Dierenziekenhuis, waar ze werkte. Hij had haar zijn kaartje met zijn telefoonnummer gegeven na wekenlang met haar geflirt te hebben. De bijgaande knipoog had het aanbod tot meer dan puur zakelijk gemaakt.

'Ik zou gewoon een avondje broodnodige, geile seks zonder vervolg moeten hebben.' Ze snifte. 'Verdomme, ik zou op dit moment gewoon geile seks kunnen hébben!'

In plaats daarvan was ze een zielig hoopje, dat zat te huilen omdat haar waardeloze ex-vriend hun zoontje eindelijk eens had opgehaald voor een weekendbezoekje dat al veel eerder had moeten plaatsvinden. Het was zielig en een tikje gestoord, maar ze kon zich er maar niet overheen zetten.

Terwijl ze zich dieper in de bank van haar beste vriendin liet wegzakken, keek Stacey om zich heen in het appartement, Ze was dankbaar dat ze op het huis van haar baas, Lyssa Bates, mocht passen. Ze zou zich geen raad hebben geweten in haar eigen huis zonder Justin erbij. Het zou te eenzaam zijn. Lyssa had tenminste nog vissen en een kat, hoewel Jelly Bean het meest valse beest was dat er bestond. Een chagrijnig, blazend, met zijn staart zwiepend mormel dat op dit moment op de armleuning van de bank naar haar zat te loeren. En toch verkeerde ze liever in zijn onaangename gezelschap dan alleen te moeten zijn.

Natuurlijk had Stacey best in de gaten hoe eenzaam ze eigenlijk was. Op een gegeven moment was ze zichzelf alleen nog als 'Justins moeder' gaan beschouwen, in plaats van als een vrouw, en dat was niet gezond. Ze had geen idee wat ze met zichzelf aanmoest. Dat was toch te triest voor woorden?

Je hebt het volste recht om kwaad te zijn, zei het duiveltje op haar schouder.

Ze werkte zich helemaal uit de naad om zonder ook maar een cent alimentatie de eindjes aan elkaar te knopen, en nou was Tommy degene die Justin meenam op zijn eerste skivakantie. Tommy kon lekker de coole vader uithangen. Tommy kreeg het voorrecht om Justins gezicht van blijdschap en verwondering te zien oplichten. En dat allemaal omdat hij een jaar geleden een briefje van twintig dollar in zijn zak had voelen branden. Een twintigje dat hij meteen had ingelegd bij een weddenschap dat de Colts naar de Super Bowl zouden gaan.

'Een twintigje dat hij aan míj had moeten geven,' zei ze hatelijk, 'voor benzine in mijn auto om naar mijn werk te komen zodat ik de zorg voor óns kind kon betalen.'

Het was zo oneerlijk. Ze had al bijna twee jaar gespaard voor een korte vakantie naar Big Bear en binnen twee minuten had Tommy haar dat ontnomen. Net zoals haar hele leven haar was ontnomen toen ze tijdens haar studie zwanger was geraakt. *Dan neem je toch een abortus*, had hij luchthartig geroepen. *We hebben ons hele leven nog voor ons en moeten nog jaren naar school. Je kunt nu echt geen baby krijgen.*

'Klootzak,' mopperde ze. Ze had haar studie opgegeven en bijstand aangevraagd. Tommy had gezegd dat het haar eigen keus was, en veel succes ermee. Tot ziens, jij liever dan ik. Hij had zijn bul gehaald en was een armlastige scenarioschrijver geworden die wel voldoende geld had voor feestjes, maar niet voor alimentatie. Zij had het ene uitzendbaantje na het andere gehad tot ze eindelijk vast, goed betalend, niet-vernederend werk had gevonden bij Lyssa in de dierenkliniek.

Stacey trok een tissue uit de doos naast haar en snoot haar neus. Het was kinderachtig en kleinzielig van haar dat ze Justin een reisje misgunde waar hij zich zo op verheugde, alleen maar omdat zij niet degene was die hem meenam. Dat wist ze heus wel, maar daar voelde ze zich niet bepaald beter door.

Er werd aangebeld. Stacey draaide haar hoofd naar de hal om er een boze blik op te werpen. Als ze in haar eigen huis was geweest had ze het laten gaan, maar ze paste op Lyssa's huis en huisdieren terwijl de baas met haar verloofde op minivakantie was in Mexico, en dus moest ze ook Lyssa's pakjes aannemen.

Zachtjes mopperend kwam Stacey overeind. Ze liep door de rustgevende woonkamer met beige vloerbedekking naar de met marmer betegelde hal. JB blies en liep achter haar aan, met zijn duivelse gegrom. Hij had een hekel aan bezoek. Goed, hij had eigenlijk een hekel aan vrijwel iedereen, maar met name aan volslagen vreemden.

Er werd nog een keer ongeduldig aangebeld, en ze riep: 'Wacht even! Ik kom eraan.'

Stacey draaide aan de deurknop en trok de deur open. 'Je moet een meisje wel even de tijd geven om…'

Er stond een Viking op Lyssa's veranda.

En hij was woest aantrekkelijk.

Hoofdstuk 3

Halverwege zijn gegrom viel JB stil, net als Stacey.

Met open mond staarde ze naar de blonde reus die de hele deurpost vulde. Hij was minstens 1.95 meter lang en er stak een zwaardgreep uit boven zijn linkerschouder en gespierde borstkas, waar Dwayne 'The Rock' Johnson nog jaloers van zou worden. Zijn armen waren enorm, vol aangespannen spieren waardoor de huid eromheen helemaal strak stond. Hij droeg een rechte, zwarte, mouwloze tuniek met V-hals die op hem geschilderd leek en een broek die strak om zijn slanke heupen zat en uitliep in los zittende pijpen. De uitmonstering was compleet met bizar ogende soldatenkisten.

'Whoei,' mompelde ze, behoorlijk onder de indruk. Deze man was lekker, lekker, lekker. Zelfs in dit kostuum. Strakke kaaklijn, wellustige mond, arrogant gevormde wenkbrauwen en een perfecte neus. Eigenlijk was alles aan hem perfect. Althans de delen die ze kon zien. Zo adembenemend dat ze er geen woorden voor had. Maar iets aan hem was anders. Was het zijn fysieke uitstraling of kwam het doordat hij niet van hier was? Ze kon niet goed duiden wat hem nou zo uniek maakte; ze wist alleen dat ze nog nooit in haar hele leven zo'n mooie man had gezien.

Hij was niet mooi als in 'knap'. Meer op de manier van de Rocky Moors of de Serengeti: ruig en ongetemd. Ontzag-wekkend op een totaal intimiderende manier. En omdat ze geïntimideerd was, deed Stacey datgene waar ze in uit-blonk.

Ze werd snedig.

Ze draaide haar heup, leunde tegen de deurpost aan en glimlachte opgewekt. 'Hoi.'

Heldere, hemelsblauwe ogen werden groter, toen weer smaller.

'Wie ben jij in hemelsnaam?' vroeg de man, en ze hoorde de rollende r in een stem die charmant en verrukkelijk was, in tegenstelling tot zijn gedrag.

'Ook leuk om jou te ontmoeten.'

'Jij bent Lyssa Bates niet,' gromde hij.

'Sjongejonge, zeg. Wat heeft me verraden? Mijn korte haar? Mijn dikke kont?' Ze knipte met haar vingers. 'Ik weet het al! Ik ben niet zo superlekker en welgevormd.'

De hoek van zijn goddelijke mond ging omhoog. Hij probeerde het te verbergen, maar ze zag het. 'Schat, je bent absoluut lekker en welgevormd, maar je bent niet Lyssa Ba-tes.'

Stacey raakte haar neus aan, omdat ze wist dat ze er waarschijnlijk bij liep als Rudolph het rendier met de rode neus, met bijpassende doorlopen ogen. Sommige vrouwen zagen er geweldig uit als ze huilden. Zij was duidelijk van een ander type. En welgevormd? Ha! Ze had een kind gebaard. Niets zat meer op zijn plek en ze was de laatste vijf kilo van haar zwangerschap nooit meer kwijtgeraakt. Niet in staat om hem van bijdehante repliek te dienen, omdat haar hersenen waren doorgebrand door zijn misschien-wel-compliment, misschien-wel-grap, zei ze: 'Lyssa is de stad uit. Ik hou tijdens haar afwezigheid een oogje in het zeil.'

'Is Cross er dan?' Ontspannen keek hij over haar hoofd heen het appartement in.

'Wie?'

Zijn blik ging weer omlaag naar haar. 'Aidan Cross. Die woont hier.'

'Eh, ja. Maar als je soms denkt dat hij Lyssa ook maar ergens heen laat gaan zonder hem, ben je niet goed bij je hoofd.'

'Da's waar.' Er schoot iets door zijn blik terwijl hij haar aankeek.

Sjonge, ze moest echt nodig op vakantie naar waar Aidan dan ook vandaan mocht komen. Deze verrukkelijke man aan de deur kwam daar duidelijk ook vandaan. Zelfde Ierse accent. Zelfde zwaardenfetisj. Zelfde niveau van lekkerheid.

'Ik blijf hier tot ze terugkomen,' verkondigde hij, terwijl hij een stap naar voren deed.

Stacey week geen haarbreed. 'Dacht het niet.'

Hij sloeg zijn armen over elkaar. 'Moet je horen, snoes, ik heb geen zin in spelletjes. Ik voel me beroerd, ik moet echt even pitten.'

'Moet jij eens even horen, schat, ' antwoordde ze, en ging op dezelfde manier als hij staan. 'Ik speel geen spelletje. Heel vervelend dat je je zo beroerd voelt, maar ik heb ook een rotdag. Ga maar ergens anders pitten.'

Er verscheen een verbeten blik op zijn gezicht. 'Aidan zou niet willen dat ik ergens anders sliep.'

'O nee? Hij heeft me anders niet verteld dat er iemand langs zou komen. Ik weet helemaal niets van jou.'

'Connor Bruce.' Hij stak een enorme hand naar haar uit.

Even aarzelde ze, en nam hem toen aan. De warmte van zijn handpalm brandde op haar huid en haar arm begon te tintelen. Ze knipperde met haar ogen. 'Stacey Daniels.'

'Hoi, Stacey.' Hij trok haar tegen zich aan, tilde haar van de tegelvloer en stapte het appartement binnen, waarna hij de deur achter hen dicht trapte.

'Hé!' sputterde ze, terwijl ze zijn heerlijke geur probeerde te negeren. Muskusachtig en erotisch. Mannelijk. Seksueel mannelijk. Dominant mannelijk. Ze kreeg de neiging haar gezicht in zijn krachtige nek te drukken en hem op te snui-ven. Haar benen om zijn heupen te slaan en zich tegen hem aan te wrijven. Wat totaal bizar was als je bedacht hoe kwaad ze op hem was.

'Het stinkt daarbuiten,' klaagde hij. 'Ik blijf daar niet lan-ger staan.'

'Je kunt hier toch niet zomaar binnen komen banjeren!'

'O, jawel, hoor.'

'Goed dan, je kúnt het. Dat wil nog niet zeggen dat je het ook moet doen.'

Connor bleef even staan in de woonkamer en keek om zich heen. Toen zette hij haar weer neer, trok zijn zwaardhouder over zijn hoofd omhoog, en zette het attribuut tegen de muur naast de deur.

'Ik ga naar bed.' Hij rekte zijn armen en rug uit op een manier die haar deed watertanden.

'Het is nog ochtend!'

'Ja, en? Niet aankomen.' Hij wees naar zijn zwaard, en draaide zich toen om naar de trap.

'*Fuck you*.' Stacey stak haar handen in haar zij en keek hem woedend aan.

Hij bleef staan, met een gelaarsde voet op de onderste tree. Hij liet zijn blik naar haar blote voeten omlaagglijden, toen langzaam en geil weer helemaal omhoog, waarbij hij even bleef hangen bij de kruising tussen haar benen, toen bij haar borsten, voor hij verder gleed naar haar lippen en haar vervolgens diep in de ogen keek. Nog nooit in haar leven was ze op die manier uitgekleed. Ze zou zweren dat hij dwars door haar laaghangende spijkerbroek en hemdje naar de huid eronder keek. Haar borsten zwollen op, haar tepels werden harder. Zonder beha – ze had tenslotte geen bezoek verwacht – was duidelijk zichtbaar dat ze opgewonden was geraakt door zijn grondige inspectie.

'Heel verleidelijk, snoes.' Zijn accent was zwaar en warm. 'Maar ik ben niet in staat om je aanbod nu eer aan te doen.

Vraag het me nog maar een keer als ik wakker word.'

Met haar voet tikte ze op het tapijt. 'Ik ben je schatje niet, of je lieverd of je snoes. En als jij nu naar boven loopt, bel ik de politie.'

Connor grijnsde, waardoor zijn gezicht van te-lekker-voor-woorden in totaal goddelijk veranderde. 'Tuurlijk. Vraag gelijk even of die handboeien meebrengt... en hier achterlaat.'

'Jóú zal ze anders niet achterlaten, hoor!' Hoe kreeg deze man het in vredesnaam voor elkaar dat ze in een opgewonden standje veranderde en tegelijkertijd zin kreeg in een opgewonden standje?

'Bel Aidan,' stelde hij voor, terwijl hij de trap op liep. 'Of Lyssa. Zeg maar dat Connor er is. Tot straks.'

Stacey rende naar de trap om hem iets na te schreeuwen. In plaats daarvan bleef ze daar staan om zijn perfecte billen te bewonderen. Ze kon geen woord meer uitbrengen. Ze haastte zich naar de keuken en pakte de telefoon. Even later kon ze aan dat vreemde geluid van een telefoon die overgaat in een emmer horen dat er verbinding werd gemaakt met het hotel in Rosarito Beach in Mexico.

'Hallo?'

'Ha, doc.' Stacey ging op een van de barkrukken zitten, graaide een pen uit het pennenbakje en begon op het kladblok naast de houder van de draadloze telefoon poppetjes te tekenen. Ze moest eerst door meerdere vlekkeloze portretten van Aidan heen bladeren voor ze een lege pagi-

na vond. De meeste artsen hadden een abominabel hand-
schrift. Lyssa was dierenarts, maar ze had een ongelofelijk
tekentalent.

'Ha, die Stace,' begroette Lyssa haar, met opluchting in
haar stem.

Stacey was er nog steeds niet achter waar Lyssa nou precies zo gestrest door was geraakt. Na er jarenlang vermoeid en emotioneel uitgeput te hebben bijgelopen, had
Lyssa zich met Aidan herenigd, en ze was weer helemaal
opgebloeid. Maar ze leek ook bang te zijn, op een manier
die Stacey zorgen baarde. Ze was bang dat het misschien
iets met Aidan te maken had. Misschien maakte ze zich
zorgen dat hij niet bij haar zou blijven? De man had Lyssa
tenslotte verlaten, en was daarna weer bij haar teruggeko-
men.

'Gaat alles goed, doc?'

'Ja. Geweldig. Het is hier schitterend.'

Toen ze de behoedzaamheid hoorde overgaan in drome-
righeid, zette Stacey haar zorgen om haar vriendin opzij en
richtte zich weer op haar eigen dilemma. 'Super. Hé, ik heb
een probleem. Ken jij een man die Connor heet?'

'Cónnor?'

'Ja, Connor. Lang, blond, zonder manieren?'

'O, god… Hoe weet jij hoe hij eruitziet?'

Stacey slaakte een zucht. 'Dus je kent hem toch. Nou
weet ik niet of ik opgelucht of teleurgesteld moet zijn.'

'Stacey. Hoe weet jij hoe Connor eruitziet?' Nu klonk

Lyssa zoals ze altijd klonk als ze een baasje moest uitleggen dat zijn huisdier ongeneeslijk ziek was.

'Hij is hier, doc. Stond een minuut of tien geleden op de stoep en deed alsof hij thuis was. Ik zei dat hij een andere plek moest zoeken om te bivakkeren, maar…'

'Nee! Verlies hem niet uit het oog!'

Met een ruk trok Stacey haar hoofd terug en keek naar de hoorn, terwijl ze van een veilige afstand naar het gesprek luisterde omdat Lyssa inmiddels opgewonden aan het schreeuwen was.

'Hij is Aidans beste vriend… kan verdwalen… laat hem niet weggaan… Stacey, ben je er nog?'

'Ja, ik ben er nog,' antwoordde ze, terwijl ze de telefoon weer met een diepe zucht naar haar oor bracht. 'Weet je, die man is echt megalekker, maar ook bloedirritant. Bazig en arrogant. Onbeleefd. JB is al een lastige huisgenoot, maar twee hufters tegelijk?'

'Je krijgt opslag van me,' probeerde Lyssa haar te paaien.

'Tuurlijk. Volgens mij verdien ik inmiddels al meer dan jij.' Dat was niet echt zo, maar ze wisten allebei maar al te goed dat haar betaling veel te royaal was. 'Even serieus, ik kan hem wel hebben.' *Ik wil hem hebben, met huid en haar.* Dat maakte het zo ingewikkeld. Ze viel op foute mannen. Dat was altijd al zo geweest.

'Je moet het niet persoonlijk opvatten. Waar Aidan vandaan komt zijn ze allemaal een beetje… kort door de bocht,' zei Lyssa.

'En waar was dat ook alweer?' Stacey deed al maanden pogingen om een locatie los te krijgen.

'Ergens in Schotland, volgens mij.'

'Heb je het hem nog steeds niet gevraagd?'

'Het doet er niet toe,' wimpelde Lyssa het af. 'Aidan is even naar de winkel om bier te halen, maar als hij terug is belt hij wel even om met Connor te praten. Ik vraag hem wel om een hartig woordje met hem over fatsoen te wisselen, oké?'

'Ja, dat gaat vast werken.' Stacey schudde haar hoofd. 'Connor doet nu een dutje. Zei dat hij zich beroerd voelde of zoiets. Hij had een of ander kostuum aan met een zwaard erbij, het leek wel of hij van een Star Wars-conventie kwam, of zo.'

'O. Shit.' Er viel een lange stilte. 'Hij zal eventjes ziek worden, Stacey. Niet lang, een paar uurtjes of een nacht. Hij krijgt koorts en wordt rillerig.'

'Huh? Hoe weet je dat?' Lyssa was goed, maar kom op zeg. Geen enkele arts kon een patiënt diagnosticeren zonder die gezien of gesproken te hebben.

'Het is een soort bizar aanpassingsding als ze uit het vliegtuig komen. Je weet wel… nieuwe wereld en zo.'

'Nieuwe wereld?'

Lyssa vloekte binnensmonds. 'Nieuwe wereld in de zin van pelgrims en conquistadores, niet in de zin van andere planeten.'

'Tuurlijk, doc.' Stacey tikte met de pen tegen het betegelde aanrechtblad. 'Wat jij wilt. Zorg ervoor dat je in Mexico alleen water uit flesjes drinkt, oké? Volgens mij komt daar gore troep uit de kraan.'

Lachend zei Lyssa: 'Maak je geen zorgen. Ik ben niet stoned.'

'Uh-huh. En, heb je een suggestie voor die griepachtige verschijnselen?'

'Ibuprofen, als hij het nodig heeft. Anders kun je hem gewoon laten slapen tot hij uit zichzelf wakker wordt.'

'Dat is te doen.'

'Top. Bedankt voor je begrip. Je bent geweldig.'

Stacey nam afscheid met de belofte dat ze de telefoon in de gaten zou houden in afwachting van Aidans belletje. Toen bleef ze lang zitten, terwijl ze de afgelopen dag overdacht, en bleef hangen bij het moment waarop ze de voordeur had opengedaan en Connor daar aantrof. Nu was ze tenminste niet meer zo met Justin en Tommy bezig, maar bij Connor moest ze ook niet zo lang blijven stilstaan. Ze was hitsig, meer niet. Ze ging niet opnieuw vervallen in het beproefde patroon van zich seksueel aangetrokken voelen tot een foute man die haar leven volledig overhoop zou gooien.

Ze schoof de kruk naar achteren en liep naar de eettafel, waar haar studieboeken op lagen uitgespreid. Eindelijk was ze weer gaan studeren. Bij de eerste keer had ze een carrière als schrijver geaspireerd en cursussen Engels en creatief schrijven gevolgd. Nu, dertien jaar later, deed ze alles om veterinair technoloog te worden.

Ze was blij met dat besluit en trots dat ze weer tussen de schoolbanken was gestapt. Dromen moesten volwassen worden, net als mensen. Een kind in haar eentje opvoeden had de richting van haar leven veranderd. Daar moest haar focus nu liggen, niet op die lekkere kerel boven in bed.

Makkelijker gezegd dan gedaan, natuurlijk.

De rondborstige roodharige vrouw die de straat overstak was niet menselijk.

Als Aidan Cross niet eeuwenlang Nachtmerries had uitgemoord, was hij misschien niet alert genoeg geweest om het op te merken, en als hij niet smoorverliefd was geweest, had hij misschien meer interesse voor haar lichaam dan voor haar laarzen gehad. Maar hij was wel degelijk alert en onder de pannen, dus hoewel zijn aandacht – samen met die van elke andere man op straat – in eerste instantie door haar rode haar werd getrokken, hielden haar soldatenkisten zijn aandacht vast. Ze waren zwart, zelfsluitend, en gemaakt van een materiaal dat niet op aarde voorkwam.

Aidan vertraagde zijn pas en zette zijn zonnebril op om zijn uiterlijk wat beter af te schermen. Ze stak de drukke straat schuin over, liep van de overkant naar zijn kant van de stoep. Hij week uit en liet meer voetgangers tussen hen in komen.

Het was een mooie dag in Rosarito Beach, Mexico. De lucht was strakblauw, met hier en daar een spierwit donzig wolkje. Net achter de winkels links van hem rolde de oceaan met gestage, ritmische golven tegen de kustlijn. De lucht was helder en zilt, en in de hotelkamer om de hoek lag zijn geliefde op hem te wachten. Naakt. Beeldschoon.

Hij keek naar de Beschermer – waarschijnlijk een Oudste – die zich een paar meter voor hem tussen de kleine stroom voetgangers voegde. In haar korte witte zomerjukje met dunne bandjes en bloemetjespatroon had ze er heel onschuldig uit kunnen zien, ware het niet dat ze was getooid met meerdere tribaltatoeages en leren armbanden met ijzeren punten omhad.

Aidan rolde zijn schouders naar achteren, om zijn spieren los te maken voor het gevecht. Als de vrouw de volgende hoek naar zijn hotel om zou slaan, stond hij in de aanslag om rotzooi te schoppen.

Gelukkig voor hen beiden deed ze dat niet.

Zijn opluchting was minimaal. Door alles wat hij ooit had geleerd vond hij dat hij achter haar aan moest om te zien waar ze op uit was. Maar zijn hart spoorde hem aan om het kleine zijstraatje naar zijn kamer in te slaan en Lyssa in veiligheid te stellen. Het gevecht binnen in hem was erger dan het gevecht waar hij zich op had voorbereid. Hij vond het verschrikkelijk om te vechten met vrouwen, hij verafschuwde het, maar alles was beter dan Lyssa's leven op het spel zetten.

Aidan stak de straat naar zijn hotel over. Met een vlugge blik inspecteerde hij de buitenkant van het gebouw. Toen hij niets afwijkends zag, liep hij vastberaden door. Hij volgde zijn prooi, de kramp in zijn maag negerend die tegen zijn besluit in opstand kwam. Hij zou sowieso niet meteen naar Lyssa toe kunnen. Het vijf minuten durende wandelingetje naar de drankwinkel kostte hem gemiddeld een halfuur, vanwege alle voorzorgsmaatregelen die hij moest nemen om er zeker van te zijn dat hij niet werd gevolgd.

Gezien zijn onrust was hij dankbaar dat de roodharige al snel van de grote straat afweek en een clandestien motelletje in dook dat duidelijk zijn beste tijd gehad had.

Hij week nog verder uit.

Toen ze vluchtig achterom keek, stak Aidan zijn arm door die van een kleine brunette en bood haar een biertje aan. De verbazing van zijn nietsvermoedende handlanger maakte al snel plaats voor sensuele waardering zodra ze zijn uiterlijk opmerkte. Hij glimlachte omlaag naar haar, maar hield zijn blik op de Beschermer gericht, die hem kennelijk onschuldig genoeg vond om te negeren.

'Dank je wel,' mompelde hij tegen zijn metgezel toen de roodharige vrouw een kamer op de begane grond in glipte. Aidan keek naar het nummer op de deur en maakte zichzelf toen voorzichtig los van de brunette. 'Geniet van het biertje.'

Ze riep hem na, maar hij liep alweer terug, via dezelfde route. Terug naar Lyssa. Hij nam een lange en zeer ongeplande omweg naar zijn hotel, waarbij hij af en toe bleef staan om pincho's, hoedjes, sieraden en shotglaasjes te bekijken die op tafeltjes langs de straat lagen uitgestald. Hij was zich scherp bewust van de mensen die achter en naast hem liepen. Pas toen hij helemaal zeker wist dat hij niet werd gevolgd, liep hij het kleine open ijzeren hek door dat een fraaie afscheiding vormde tussen het prachtig verzorgde gazon van het hotel en de stoffige openbare weg.

Toen hij hun kamer op de tweede verdieping binnenging en alle sloten op de deur weer op slot draaide, klaagde Lyssa: 'Dat duurde een eeuwigheid.'

Aidan gooide zijn zonnebril op het kastje naast de televisie, zette de overgebleven blikjes bier op het nachtkastje en kroop naar haar in lakens gehulde lichaam toe. Met gespreide benen ging hij op haar zitten, bracht zijn hoofd omlaag en kuste haar op haar mond. Hij kneep zijn ogen dicht en voelde de opluchting door zich heen stromen. Zijn bezorgdheid om haar verdween als sneeuw voor de zon toen ze haar slanke armen om zijn nek sloeg en hem tegen zich aan drukte. Het zachte gekreun waarmee ze hem verwelkomde klonk hem als muziek in de oren.

Aidan hield zijn hoofd scheef om zijn mond beter op de hare te laten passen en likte haar diep. Zijn tong gleed langs de hare, zijn zintuigen werden overspoeld door hoe ze aanvoelde, door haar geur en haar smaak. Hij gromde diep toen ze haar rug welfde en haar borsten in zijn borstkas drukte.

'Mmm…' bracht ze tevreden uit.

'Mmm…' zei hij instemmend, terwijl hij zijn hoofd omhoog bracht en met zijn neus langs de hare wreef. Hij ging naast haar zitten en trok haar tegen zich aan.

'Je gelooft nooit wat ik te vertellen heb,' mompelde ze.

Haar huid rook naar appeltjes en haar lange blonde haar was nog vochtig van de douche. In de lakens hing nog de vage geur van hen samen, naakte huid op naakte huid, en een nacht van passie die hen van zonsondergang naar zonsopgang had geleid.

'O nee?' Hij legde zijn hand op haar achterhoofd en hield haar dicht tegen zich aan.

'Nee. Connor is bij mij thuis.'

Er viel een lange stilte. 'Goh.'

Lyssa hief haar hoofd op en keek op hem neer. 'Waarom klink je niet stomverbaasd?'

Aidan slaakte een diepe zucht. 'Ik heb weer een Beschermer gezien. Ze logeert in een hotel niet ver van hier.'

'O, shit.'

Hij knikte behoedzaam. 'Precies.'

Hoofdstuk 4

Snakkend naar adem en heftig rillend verrees Connor uit het ijskoude meer. Hij kroop de zanderige oever op. Met zijn Elite-uniform tegen zijn lichaam aan geplakt hees hij zich overeind. Hij was er zo op gebrand om de onderkoeling het hoofd te bieden dat het hem totaal ontging dat hij niet alleen was, totdat iemand hem liet struikelen en tegen de vlakte werkte.

Een kleiner, peziger lichaam wikkelde zich om het zijne. Hij stiet een woedende brul uit, die weerkaatste tegen het wateroppervlak. Alle opgebouwde spanning werd ontladen. Connor worstelde met zijn belager, tot ze allebei in het meer vielen in een explosie van opspattend water.

Door de onverwachte schok en het besef dat hij werd aangevallen ontstak er een grote woede in Connor. Hij greep zijn belager bij de kraag van zijn gewaad en sleurde hem de oever op.

'Wacht!' De man, helemaal in het grijs, kon alleen maar een Oudste zijn.

Jammer genoeg voor hem liep Connor op dit moment niet over van medeleven met Oudsten en had hij vooral zin in een goed potje vechten. Hij pakte het zwaard op zijn rug en trok het uit de schede. 'Als je dan zo graag dood wilt, oudje,' gromde hij, 'had je dat ook meteen kunnen zeggen.'

'Cross heeft je nodig.'

Bij het horen van die bekende stem verstijfde Connor. Natuurlijk was dit niet zomaar een Oudste. Niet op een rotdag als vandaag. Dit moest wel Oudste Sheron zijn, zijn leermeester van de Elite-academie.

'Wat Cross nodig heeft, zijn antwoorden, Sheron. Allemaal hebben we antwoorden nodig.'

De Oudste trok de doorweekte monnikskap die zijn gezicht verborg naar achteren en Connor keek eens goed naar de man die hem had gemaakt tot de strijder die hij nu was. Sherons uiterlijk had zo'n drastische verandering ondergaan dat de krachtige Meester van weleer haast onherkenbaar was geworden. Zijn donkerbruine haar was nu spierwit, de gebronsde huid ziekelijk bleek en zijn pupillen waren zo groot en donker dat het oogwit er volledig door werd opgeslokt. Zo had hij verdacht veel weg van dat ding dat in de Tempel opgesloten had gezeten.

Connor werd overmand door walging, die meteen overging in woede. Aidan had altijd opgekeken naar Sheron, als een zoon naar zijn vader. Omdat zijn biologische ouders hem hadden verstoten toen hij naar de Elite-academie ging, was hij op zoek geweest naar een vaderfiguur en had die in Sheron gezocht. Connor werd woedend bij de gedachte dat het vertrouwen van zijn vriend zo misplaatst was geweest.

Zelf kwam hij uit een lange lijn van Elitestrijders. Alle

Bruces, zowel mannen als vrouwen, gingen bij de Elite. Leven met en sterven door het zwaard *was hun familiecredo*, en Connor had maar weinig geduld voor leugens en verraad. Tijd was kostbaar, zelfs als je zo goed als onsterfelijk was.

Maar Aidans ouders waren Beschermers. De een was een Genezende Beschermer, de ander een Verzorgende. Ze konden geen begrip opbrengen voor het pad dat hun zoon had gekozen. De constante vragenstroom waarmee ze Aidan bestookten had hem uiteindelijk van huis weggedreven. De familie Cross kon maar niet begrijpen waarom hun enige kind zo nodig tegen de Nachtmerries moest vechten, in plaats van de door hen aangerichte schade te herstellen. Omdat zij Aidans enige familie waren, bleven er maar twee mensen over met wie hij een emotionele band had: Connor en Sheron.

En Sheron was zijn respect en liefde niet waard geweest.

'Er zijn anderen naar het sterfelijke niveau achter Cross aan gestuurd,' zei Sheron bars, met zijn beide handen stevig om de greep van zijn zwaard. 'Machtige Oudsten. Hij zal assistentie nodig hebben.'

'We zijn heus niet achterlijk, hoor,' zei Connor spottend, terwijl hij met trage, stabiele passen om zijn tegenstander heen liep. 'En nu je toch het hart op de tong hebt, kun je me misschien even uitleggen wat dat voor iets was in de Tempel?'

Sheron bleef staan en liet zijn zwaard zakken. 'Ik had ze gewaarschuwd. Ik zei nog zo dat het systeem niet getest en niet veilig was. Het was te riskant, maar ze stonden erop.'

'Waar heb je het over?' Met toegeknepen ogen keek Connor de Oudste aan, steeds meer op zijn hoede. Hij was bekend met de truc waarbij een strijder deed alsof hij niet meer wilde vechten en dan ineens bij wijze van verrassing toesloeg.

Midden in een stap bleef Sheron staan. 'De grot was ons belangrijkste middel om de stroming tussen het sterfelijke niveau en de Schemering te controleren, maar we wisten allebei dat we te kwetsbaar waren als we slechts op één locatie zouden rekenen. We hebben een kamer in de Tempel van de Oudsten aangepast in een poging om stromingen van mediums aan te trekken. Het werkte, tot op zekere hoogte. Maar de Tempel is niet veilig voor Nachtmerries.'

'O nee?' Daar kreeg Connor een heel ongemakkelijk gevoel van. De glanzend witte aanblik van de Tempel had altijd een kalmerend effect op hem gehad. Die was niet besmet door hun vijand en vervuld van de geschiedenis van zijn mensen in de Zaal der Kennis. Hoewel hij persoonlijk nooit gebruik had gemaakt van de daar opgeslagen informatie, werd hij altijd rustig bij de gedachte eraan.

'Nee.' Sheron veegde de pluk spierwit haar van zijn voorhoofd. 'De Nachtmerries zijn wanhopiger geworden. De oudere hebben geleerd om hun prooi te besluipen, in plaats van hem als een dolle aan te vallen. Elke schaduw die je ziet is verdacht en alleen in de grot is het veilig, hoewel we niet zeker weten waarom. Heeft iets met het water te maken, vermoed ik.'

'Misschien is het gewoon veel te godvergeten koud,' zei

Connor, die stond te rillen in het zachte briesje. Met een
zwaai van zijn hand verwarmde hij de lucht om zich heen,
door een isolerende zak te vormen. Buiten die ruimte nam de
snelheid van het briesje exponentieel toe en boven hen pak-
ten zich donkere wolken samen.

'Dat weten we niet, Bruce. Ik heb nog geprobeerd de ande-
ren over te halen, maar die waren bereid het risico te nemen.'

'En wat houdt dat risico dan precies in?'

Sheron perste zijn lippen samen. 'Dat de Nachtmerries...'

Er klonk een donder en er viel een alles omhullende deken
van duisternis om hen heen. De Oudste begon te schreeuwen
en de wolken namen een vorm aan, waardoor ze de bekende
gedaante van Nachtmerries kregen.

Ze waren met duizenden...

In paniek werd Connor wakker.

Hij schoot omhoog in bed, doodsbenauwd van zijn omgeving, omdat het iets te lang duurde voor hij registreerde
waar hij was. Zijn hart ging tekeer, zijn huid was bedekt
met zweet.

Het sterfelijke niveau. Hij was in de hel.

Zwaar hijgend gooide hij zijn benen van het bed en legde
zijn hoofd in zijn handen.

Nachtmerries, de klootzakken.

Alsof de geuren van deze wereld nog niet erg genoeg waren, moest hij zich nu ook nog met nachtmerries bezighou-
den.

Vol afgrijzen hees Connor zich overeind en trok zijn kleren uit, waarna hij ze op een stapeltje op de vloer gooide. Hij deed de deur open van de logeerkamer waar hij was gaan liggen toen hij had gezien dat de andere twee slaapkamers bezet waren. Een daarvan was de hoofdslaapkamer, de andere rook naar dat lekkere ding dat de deur voor hem had opengedaan.

Er verscheen een barse grijns om zijn mond. Gelukkig was hier tenminste iets – íémand – die hem aanstond.

Stacey was ronde, rijpe, welgevormde perfectie met die volle heupen, goedgevormde kont en grote tieten van haar. Ze was zo'n vrouw waar je je als man stevig aan kon vasthouden als je haar keihard bereed.

Zijn pik zwol op bij die gedachte en hij kreunde zachtjes, omdat zijn bloed begon te koken van de combinatie van te lange onthouding, een te erge rotdag, en een te mooie vrouw. Hij wilde met zijn vuist die volle bos strakke zwarte krullen beetpakken en bezit nemen van die volle rode mond van haar. Zelfs met die groene traanogen en rode neus was haar hartvormige gezicht zo verleidelijk als de neten geweest. Hij wilde er blosjes op toveren, het zien glinsteren van het zweet, met de gekwelde behoefte aan een orgasme erop getekend. Als hij niet het gevoel had gehad dat hij doodging, zou hij haar zeker hebben opgevrolijkt.

Maar beter laat dan nooit, natuurlijk. Hij moest ook nodig worden opgevrolijkt. Hij voelde zich verscheurd – kwaad en gedesillusioneerd en verloren. Dat laatste trof hem nog het meest. Hij stelde prijs op een stevige basis. Aidan was de avonturier. Connor had zijn leven graag op orde. Hij hield niet van verrassingen. Dit vrijevalgevoel vond hij maar niks; hij wist precies hoe hij in een jachtige wereld een stukje rust zou kunnen vinden.

Die plek was binnen in Stacey.

En zij zat beneden op hem te wachten. Ook al wist ze dat zelf nog niet.

Connor liep de gastenbadkamer in en nam een koude douche. Het voelde hemels om de dag die hij tot nu toe had gehad van zich af te spoelen, en toen hij een paar minuten later de gang op liep, was hij een stuk kalmer – minder rusteloos en de situatie meer de baas.

Hij overwoog om zich aan te kleden voor hij naar beneden ging om iets te eten te zoeken, maar zag ervan af. Hij had geen zin om zijn ongewassen uniform weer aan te trekken; wat hem betrof volstond de handdoek om zijn middel. In deze schaars omhulde toestand zou hij Stacey misschien ook op stang jagen, en dat gaf mogelijk de benodigde impuls om haar zijn bed in te krijgen. Passie, in wat voor vorm dan ook, kon met de juiste overtuigingskracht altijd in seksuele passie worden omgezet. En Stacey wilde hem al – dat hadden die lange, strakke tepels wel bewezen – ook al wílde ze niet dat ze hem wilde.

Hij had genoeg menselijke fantasieën vervuld om te weten dat vrouwen hun verlangens soms onderdrukten vanwege redenen die niets te maken hadden met de seks zelf.

Of een man een goede baan had, van kinderen hield, trouw was, redelijk kon koken, in staat was auto's te repareren of in pak naar zijn werk ging – er waren veel meer redenen om nee tegen seks te zeggen dan redenen om ja te zeggen.

Beschermers hadden niet van dat soort zorgen. Seks was troost, verlangen en een eerste levensbehoefte. Het was goed voor de gezondheid en je kreeg er een beter humeur van. Het was net zo noodzakelijk als ademhalen, en al waren er een paar Beschermers die altijd samenbleven, de meesten hielden hun opties open.

Hij had nu behoefte aan troost en wilde nergens aan denken. Als hij Stacey meer redenen gaf om ja te zeggen dan om hem af te wijzen, kon hij haar hebben. En hij wilde haar. Dolgraag.

Terwijl Connor van de laatste traptree de marmeren vloer van de hal op stapte, wierp hij een vluchtige blik op het sierraam boven de glazen schuifdeur naar het terras. Aan de rode glans van het zonlicht zag hij dat het laat in de middag was, en een blik op het zenderkastje boven de televisie bevestigde dat het even na zessen was.

'Ik probeer je helemaal geen schuldgevoel aan te praten!' sputterde Stacey vol vuur.

Wie was er in godsnaam op bezoek?

Hij wilde net terug naar zijn kamer gaan om zijn broek te halen toen ze zei: 'Ik kan er ook niets aan doen dat ik verdrietig klink. Ik mis je. Ik ben je moeder, natuurlijk mis ik je. Maar dat wil nog niet zeggen dat ik je een schuldgevoel probeer aan te praten omdat je gaat!'

Ze zat aan de telefoon. Hij voelde de spanning uit zijn schouders wegtrekken. Ze waren dus toch alleen. Precies wat hij nodig had. Hij dacht niet dat hij nu in staat was een lang gesprek te voeren. Daar was hij veel te gespannen voor.

Connor liep de woonkamer door. Op de drempel naar de eetkamer talmde hij. Stacey stond met haar gespannen rug naar hem toe en wreef met haar hand over haar nek.

Godsamme, wat had ze een lekkere kont. Dik, noemde zij hem. Hij moest toegeven dat hij zeker niet klein was, maar hij was strak en rond en meer dan een handvol. Hij wilde zijn handen om die stevige billen leggen terwijl zij haar heupen in de perfecte hoek kantelde om zijn pik in zijn geheel te kunnen nemen. Hard en diep neuken… Hij wilde het, zoals hij wilde ademhalen; hij wilde de tastbare verbintenis met een ander iemand. Er trok een rilling van verlangen over zijn rug. Toen klonk haar stem geagiteerder, en ineens kreeg hij bedenkingen.

'Ik snap heus wel dat je hem in geen jaren gezien hebt. Alsof ik dat ooit zou kunnen vergeten… Nee, dat was geen steek onder water… Jezus, het is verdomme de waarheid. Hij heeft me nooit een cent voor jou gegeven! Dat verzin ik heus niet… Me eroverhéén zetten? Hij gaat lekker skiën en ik ben blut, en dan moet ík me erover heen zetten? Justin? Jústin? Liefje…?' Ze slaakte een diepe zucht en gooide de hoorn op de haak. 'Shit!'

Connor keek hoe ze met haar beide handen door haar weelderige krullen ging. Toen zag hij haar schouders schokken, door een geruisloos gesnik. Ineens werd de behoefte om te neuken en te vergeten vervangen door iets heel anders: de behoefte om hun verdriet te delen, met elkaar mee te voelen.

'Hé,' gromde hij zachtjes, in reactie op de frustratie en het verdriet dat hij in haar vloek had gehoord.

Ze slaakte een gil en sprong op zijn minst een halve meter de lucht in.

'Godsamme!' riep ze, en draaide zich met een woedende blik naar hem toe, met haar hand op haar hart. Er hingen tranen aan haar dikke zwarte wimpers die vlekken op haar bleke wangen maakten. 'Ik schrik me kapot!'

'Sorry.'

Ze liet haar blik omlaagglijden naar zijn heupen en de erectie die zijn handdoek omhoogtilde en aan de zijkant opzijtrok, zodat zijn bovenbeen tot aan zijn middel werd ontbloot. 'O, mijn god.'

Door zijn lust, haar pijn en de Nachtmerries van zo-even was het voor hem onmogelijk om gemaakt charmant te doen. 'Je hebt de mooiste kont die ik ooit heb gezien,' legde hij uit.

'Heb ik een mooie…?' Ze knipperde met haar ogen, maar keek niet weg. 'Je loopt hier halfnaakt door het huis met een stijve en alles wat je te zeggen hebt is dat ik een mooie kont heb?'

'Ik kan ook helemaal naakt door het huis lopen, als je dat liever hebt.'

'O nee. Mooi niet, hoor.' Ze sloeg haar armen over elkaar, waardoor haar beha-loze borsten alleen maar geaccentueerd werden. Zijn verlangen, al wekenlang opgebouwd, trok over zijn huid en liet een dunne nevel van zweet achter. 'Dat soort privileges gelden niet in dit huis.'

'Het kan me niet schelen wat er in dit huis geldt,' zei hij oprecht. Ze was een zachte, warme, emotionele vrouw. Precies wat hij nodig had. 'Ik wil weten wat voor jóú geldt. Een zachte aanraking? Iets ruigers? Word je graag snel en hard bemind? Of lang en traag? Waar word jij geil van, snoes?'

'Jezus! Wind er vooral geen doekjes om, zou ik zeggen.'

Connor zag dat haar pupillen zich verwijdden, een onbewuste uitnodiging. Hij kwam wat dichterbij. Voorzichtig. Geen snelle bewegingen, want hij zag dat ze in de vecht-of-vluchtstand stond en wilde voorkomen dat ze ervandoor ging. Vroeg zich af of hij haar wel zou kunnen laten gaan.

'Op dit moment heb ik geen geduld voor leugens,' mompelde hij. 'Ik wil je. Een nacht met jou zou geweldig zijn na wat ik allemaal net heb doorgemaakt. Ik vind het hier niet prettig. Ik heb heimwee en voel me ziek.'

'S-sorry…' Stacey slikte, haar ogen stonden wijd open in haar scherpe gezicht, haar tong schoot over haar vochtige kersenrode lippen. 'Sorry dat ik je teleurstel, maar vanavond kan ik niet. Ik heb koppijn.'

Hij kwam dichterbij.

Ze deinsde achteruit en botste tegen een barkruk. Haar borstkas ging snel op en neer, net als de zijne. Haar neusvleugels verwijdden zich, omdat ze gevaar rook. Binnen in hem, stevig verstrengeld, zat de behoefte om haar dicht tegen zich aan te trekken. Haar over te halen om te blijven en om ja te zeggen. Om te voorkomen dat ze zou ontkennen dat ze van hem was, wat hem door een primitieve stem in hem werd ingefluisterd. *Van mij*, volhardde de stem. *Ze is van mij.*

Iets binnen in háár begreep het.

'We hebben allebei een rotdag gehad,' wist hij te zeggen, met een stem die schrapender klonk dan hij wilde. 'Waarom zouden we dan ook nog een rotnacht beleven?'

'Met seks los ik mijn probleem niet op.'

Ze sloeg haar handen om de rand van de houten kruk en stak haar kin omhoog. Door deze houding kwamen haar borsten wulps en uitdagend naar voren te staan, en zijn behoefte veranderde in een verzengend verlangen. Een luidruchtig gegrom vulde de ruimte tussen hen. Zachtjes snakte ze naar adem. Haar tepels kwamen strak overeind te staan en drukten tegen de losse katoenen ribbels van haar hemdje.

Connors pik zwol nog verder op, een reactie die hij, schaars gekleed als hij was, niet kon verbergen. Hij wilde haar. Nú. Wilde vergeten dat hij niet thuis was, dat hij misschien wel nooit meer naar huis zou gaan. Wilde vergeten dat hij was voorgelogen en bedrogen. Wilde tegen een warme, gewillige vrouw aankruipen en ook haar helpen om haar pijn te vergeten. Dat was wat hij altijd deed, wat hij kende, waar hij bijzonder goed in was. Wat hem met zijn beide benen op de grond hield. En dit keer zou het echt zijn, geen droom of fantasie.

Hij kon de huiverende angst in haar voelen, het zweempje wanhoop, de behoefte om haar frustratie en woede en pijn eruit te schreeuwen. De behoefte om een connectie te voelen met iemand die helemaal nergens iets mee te maken had. Een onschuldig iemand, zonder bagage of verwachtingen, een pleziertje zonder schuldgevoel. Ze had alleen nog maar een zetje nodig.

Connor gaf een rukje aan zijn handdoek en liet hem op de grond vallen.

'Goeie genade,' mompelde ze. 'Je bent ongelofelijk.'

Met een vriendelijke glimlach deed hij alsof hij haar opmerking anders opvatte dan ze hem bedoeld had. 'O, maar ik ben nog niet eens begonnen.'

* * *

De diepe, lage stem wikkelde zich om Staceys ruggenwervel, en bewoog toen in een verhitte, glijdende beweging naar beneden.

Woedend op zichzelf omdat ze zo opgewonden raakte, keek ze naar de lange, prachtige, adembenemende – ongelofelijk adembenemende – náákte man die op haar afkwam lopen.

Ze was niet in staat om weg te kijken van de prachtig gevormde spieren en gebronsde huid. Of het donkere, honingkleurige haar dat op een krachtig voorhoofd hing. Of de Caribisch blauwe ogen die haar lichaam van top tot teen in zich opnamen, met een blik die geil en hunkerend was, maar ook teder.

Om zijn schandalig sensuele mond zaten allemaal rimpeltjes van spanning en stress, en door die aanblik voelde ze de verleiding om al zijn problemen weg te kussen. Waar die dan ook uit mochten bestaan.

Alsof dat mogelijk was. Connor Bruce leek wel een eiland. Hij had absoluut een gevaarlijk randje, iets wilds en ongetemds. Hij had iets… duisters, iets gepijnigds. Een gevoel dat ze herkende omdat ze zich op dit moment precies zo voelde. Nauwelijks in bedwang. Gespannen. Ze wilde naar Big Bear rijden en tegen Justin en Tommy zeggen dat één godvergeten skivakantie Tommy nog niet tot Beste Vader van de Eeuw maakte.

Gefrustreerd omdat ze zich er maar niet 'overheen kon zetten', wierp Stacey zonder erbij na te denken een blik op Connors goddelijke pik. Hij stond er tenslotte voor haar neus mee heen en weer te zwaaien…

'Helemaal voor jou,' zei hij poeslief, terwijl hij met een verwoestende combinatie van vastberadenheid en verrukkelijke, goed gevormde buikspieren op haar afstevende. Ze keek omhoog en zag de uitdaging in zijn diepblauwe ogen. Hij wist dat ze wel moest kijken en smachten naar wat hij haar zo onbehouwen aanbood. 'En je bent helemaal van mij.'

God, wat had ze dat graag willen weglachen. Als je bedacht hoelang ze elkaar kenden, zou die opmerking extreem grappig moeten zijn. Maar Connor was een te primitieve man om weg te wuiven als hij bezitterig werd. Net zoals zij kennelijk primitief genoeg was om aan haar haren naar zijn grot te willen worden gesleept.

Er was iets heel erg verkeerds aan een man die zo perfect was. Bijna twee meter aan pure, potente mannelijkheid. Hij was lang, breed, en slecht. Onweerstaanbaar slecht. En zonder een zweem van schuldbesef daarover. Als dat alles was geweest, had ze hem misschien nog kunnen weerstaan. Maar hij had ook een zekere kwetsbaarheid, waar ze haar vinger niet op kon leggen. Wat het ook was, het raakte haar. Diep vanbinnen. Ze wilde hem troosten, omhelzen, hem aan het lachen maken.

Nogmaals ging haar blik hulpeloos naar de lange, dikke pik die voor hem uit stak. Die was ook al zo perfect. Hoezeer ze haar best ook deed, ze kon geen enkel foutje aan hem ontdekken. En verdomme, wat deed ze haar best. Hij had een ruwe schoonheid en was onheilspellend sexy, maar ze zou niet toegeven. Ze keek wel mooi uit. Ze was weg van hem, zeker, maar ze vertikte het om in haar oude fouten te vervallen. Jezusmina, ze kende die kerel niet eens!

'Beleef je zelf plezier aan dat hele Conan the Barbarian-gedoe?' vroeg ze met een opgetrokken wenkbrauw, acterend alsof haar leven ervan afhing. 'Ik vind er namelijk geen ene fluit aan.'

Er verscheen een jongensachtige glimlach om zijn mond. Haar reactie daarop verbijsterde haar. Het was zo'n charmante lach waardoor je automatisch terug wilde glimlachen.

'Bewijs het maar.' Ze huiverde bij het zien van zijn grote, ontspannen passen. Ze greep de kruk achter zich zo stevig vast dat ze een nagel brak en er een geluidje vol wanhoop uit haar mond ontsnapte. Door dat zachte, gefluisterde gilletje had ze zichzelf verraden. Dat merkte ze, omdat zijn blik verhitter en duisterder werd, en zijn pik nog verder opzwol. Haar mond werd droog bij de aanblik.

Lieve hemel; hij was over de volle lengte bedekt met kloppende aderen. Ze moest een kreun van verlangen inslikken. Voor zo'n pik zou een pornoster grof geld betalen. Shit, vrouwen betaalden ook voor een pik als de zijne, gemaakt van plastic en met een knopje om de snelheid te regelen.

'Loop je me nu uit te dagen?' stamelde ze, met haar ogen gefixeerd op de roofdierachtige charme van zijn bewegingen. Ze vroeg zich af hoe hij tijdens het neuken zou bewegen en die gedachte maakte haar helemaal vochtig tussen haar benen.

Ze was eenzaam, moe, gefrustreerd door wat het leven

haar had toebedeeld, en kwaad genoeg om haar onderge-
waardeerde moederrol voor een uurtje of twee van zich af
te willen schudden. *Zich eroverheen zetten?* Tuurlijk. Hoe
zou ze zich er beter overheen kunnen zetten dan door onder een man als Connor Bruce te gaan liggen?

'Ik wil je vasthouden,' mompelde hij, met zijn verleidelijke accent.

Stacey verroerde geen vin. Ze kon het niet.

Terwijl hij dichterbij kwam hield ze haar adem in, omdat
ze wist dat haar verzet tegen zijn zeer aanlokkelijke maar
onpraktische aanbod zou verzwakken zodra ze hem rook.
De geur van zijn huid was uniek. Een beetje kruidig, een
beetje muskusachtig. Honderd procent mannelijk. Puur
Connor. Als ze die opsnoof zou het beeld in haar gedachten
van hem boven haar alleen maar verscherpt worden, met
zijn armen die opbolden terwijl zij zijn gewicht omhooghield, zijn buikspieren die zich strak aanspanden terwijl hij
zijn dikke pik in en uit haar bewoog, zijn prachtige gezicht
gespannen door lust.

Precies zoals hij er nu uitzag.

In paniek door haar verlangen schudde Stacey haar
hoofd heftig en sprong snel opzij, in de hoop de eettafel te
ontwijken en… in de hoop dat hij haar achterna zou komen.

Wat hij ook deed.

Connor stormde op haar af. Moeiteloos greep hij haar
vast, sloeg zijn stalen arm om haar middel en trok haar tegen

zich aan. Hierdoor werd haar verlangen alleen maar heviger; ze smolt in zijn armen, nat van alleen al het vooruitzicht.

'Laat me, Stacey.' De toon van zijn stem veranderde, werd acuut en smekend. 'Ik heb je nodig. Jij hebt mij nodig. Laat het gebeuren.'

De felheid van zijn hunkering was in elke vezel van zijn uit de kluiten gewassen lichaam te zien. Het was tastbaar en heel, heel verleidelijk.

Het was ook krankzinnig.

'Verdomme!' viel ze uit, terwijl ze zich probeerde los te wurmen. Niet omdat ze daadwerkelijk verwachtte weg te kunnen komen, maar omdat het haar opwond. 'Je kunt me niet zomaar je bed in slepen!'

'Klopt. Dat ga ik helemaal niet redden. We zullen het hier moeten doen.'

'Hiér?' zei ze schor. 'Je bent niet goed snik! We kennen elkaar niet eens!'

Hij omhelsde haar nog steviger en streek lief met zijn neus langs haar wang, terwijl hij met zijn tong over de op hol geslagen hartslag in haar keel ging. Ze werd duizelig van zijn aanraking, omringd door zijn geur en zijn aandacht voor details. Ze twijfelde niet aan het feit dat Connor elke erogene zone in haar lichaam zou weten te vinden. Ze twijfelde er ook niet aan dat ze wilde dat hij dat deed. God, wat was het lang geleden dat ze seks had gehad met iemand die helemaal op haar genot was gericht. Iemand die behóéfte leek te hebben aan haar genot.

'Je denkt te veel na,' fluisterde hij met zijn lippen tegen haar oor. Hij bracht zijn hand omhoog en legde hem op haar bevrijde borst. Zijn hand was warm, zijn greep stevig maar teder. Met zijn duim en wijsvinger kneep hij in haar tepel, liet hem rollen, trok er zachtjes aan. Ze kronkelde toen het gevoel rechtstreeks naar haar geslachtsdeel schoot, dat waanzinnig begon te tintelen. Er klonk een woest gegrom uit zijn borstkas.

De drang om haar ogen dicht te doen en met hem te versmelten was enorm. 'Je duikt toch niet met een vreemde het bed in, alleen maar omdat je een rotdag hebt gehad.'

'Waarom niet? Waarom zou je jezelf iets onthouden wat je graag wilt?'

'Dat heet volwassenheid.' Ze veranderde van tactiek en hing nu slap in zijn armen. Hij leek het niet op te merken. De man was sterk genoeg om een olifant te dragen.

'Klinkt als zelfkastijding.'

'Jij gaat waarschijnlijk fluitend door het leven en denkt dat je kunt doen en laten waar je zin in hebt, alleen omdat je zo lekker bent.'

Hij drukte een harde, vlugge kus op haar voorhoofd en gebruikte beide handen om haar borsten te kneden. 'Jij bent ook lekker en jij doet ook niet waar je zin in hebt.'

Stacey snoof. 'Met complimentjes krijg je me echt niet uit de kleren.'

Connor bewoog zijn hand omhoog en legde hem op haar

wang, om haar mond naar de zijne te draaien. 'Nee,' fluisterde hij tegen haar lippen, 'maar hiermee wel.'

Hij rukte de knoopjes van haar broek open en schoof zijn hand in haar spijkerbroek.

'Nee...'

Hij stootte zijn tong diep in haar mond, waarmee hij haar gesputter het zwijgen oplegde. Door haar kanten stringetje heen greep hij haar vast. 'Ja,' zei hij suikerzoet, terwijl hij met vaardige vingers over haar opgezwollen, smachtende poesje wreef, 'je bent nat, schatje.'

Ze jammerde zachtjes toen hij het in de weg zittende materiaal opzijschoof en haar huid-op-huid aanraakte.

'Zeg dat je naar me verlangt,' zei hij schor, terwijl hij met de eeltige vingertop van zijn wijsvinger over haar plooien gleed en haar gezwollen clitoris streelde. Heen en weer. Liefkozend, rondjes draaiend.

De spanning was intens, haar ademhaling hijgend, haar benen uitgestrekt,

'O! Ik ga klaarkomen... O god...' Jezus, ze had het zo lang zonder moeten doen dat ze nu op springen stond.

'Zeg me dat je naar me verlangt,' herhaalde hij.

Met haar heupen draaide en wiegde ze tegen die gekmakende vinger aan. 'Maakt het wat uit dan?' stamelde ze, terwijl ze als een wild dier tegenstribbelde in de kooi van zijn armen.

'Ja.' Hij bracht zijn tanden naar haar aangespannen nekspier en overrompeld schreeuwde ze het uit. 'Het maakt zeker uit. Ik verlang naar jou. Ik wil dat jij ook naar mij verlangt.'

Er werden twee lange, grote vingers in haar geduwd en ze maakte stuiptrekkingen, stond op de rand van een orgasme. Ze deed haar ogen dicht en liet haar hoofd naar achteren tegen zijn borstkas aan vallen. Ze trilde als een gek, overweldigd, huilerig. Deze hele dag was één grote mengeling van emoties geweest en nu had hij er ook nog eens lust en verlangen aan toegevoegd.

'Ja…' snikte ze, terwijl ze haar nagels drukte in de onderarm die tussen haar borsten lag. Het voelde zo goed om vastgehouden en omhelsd te worden. Dat er iemand naar haar verlangde.

'Doe je spijkerbroek omlaag.'

Stacey greep naar haar riem en liet haar broek langzaam tot aan haar knieën zakken, terwijl ze vocht tegen de warme tranen. Ze rechtte haar rug en pakte haar tas van het granieten ontbijtbarretje, waar ze het doosje condooms uit haalde dat ze een week geleden had gekocht. Ze waren extra large, omdat ze dacht dat een grapje haar op handen zijnde 'bloemetjes en bijtjes'-gesprek wat luchtiger zou maken. Nu hoopte ze maar dat ze niet te klein waren. Connor was zwaargeschapen, iets wat haar des te natter maakte en waar haar weerstand van afnam. Mijn god… hij zou ín haar zijn… dádelijk al…

Hij zette een voet tussen haar benen en stapte omlaag, zodat haar broek naar de vloer werd geschoven. Met haar billen raakte ze zijn keiharde erectie en hij floot tussen zijn tanden door. Hij verstevigde zijn greep om haar middel. Haar hart maakte een sprongetje, van opwinding met een zweempje angst. Hij was een enorme man die zichzelf maar nauwelijks in bedwang leek te kunnen houden.

'Sst,' mompelde hij zachtjes, en liet haar net lang genoeg los om zijn hand onder haar t-shirt te kunnen steken. Met zijn hand op haar bonkende hart stopte hij even, terwijl zijn borstkas op en neer ging tegen haar rug. Zijn gezicht was vochtig en koortsachtig warm, en hij drukte zijn wang ruw tegen de hare. 'Dit ben ik niet. Ik ben helemaal niet zo. Ik dring me veel te snel aan je op…'

'Ik ben ook niet zo,' fluisterde ze, terwijl ze door haar hemd heen haar hand op de zijne legde en hem naar haar borst bewoog. Ze liet haar vingers op de zijne rusten en kneep erin, zodat hij het zware, pijnlijke gewicht van haar borsten kon strelen. 'En je gaat niet snel genoeg.'

'Ik ga je neuken. Ik kan er niets aan doen.' Zijn accent was zo zwaar dat ze hem bijna niet kon verstaan. 'Hard en snel. Daarna beginnen we opnieuw. Dan kom jij ook aan je trekken. Dan zal ik het goed doen.'

Hoofdschuddend boog Stacey zich voorover en bood hem de meest intieme plek van haar lichaam aan. 'Doe het nou maar gewoon. Goed of verkeerd.'

Connor gromde iets, toen scheurde hij het doosje condooms open en haalde er een uit de zilverkleurige verpakking. Ze dwong zichzelf voorzichtig in en uit te ademen, om de duizeligheid te onderdrukken, om tegen zichzelf te zeggen dat dit een onenightstand was, geen godvergeten relatie. Hij hoefde geen 'duurzaam' materiaal te zijn, hij moest alleen het juiste gereedschap hebben en een beetje rekening met haar houden.

Deze man was de beste vriend van Aidan, die echt een goeie gast was. Dat betekende natuurlijk niet dat Connor automatisch ook een goeie gast was, maar het gaf hem wel een streepje voor op een volslagen vreemde. En ze waren allebei volwassen. Ze konden zich best aan een beetje nutteloze seks tegoed doen en daar gewoon beleefd bij blijven. Ze zou niet in oude fouten vervallen, omdat ze geen verwachtingen had die verder strekten dan een orgasme. Toch? Tóch?

Stacey had zichzelf er bijna van overtuigd dat deze ontmoeting nauwelijks meer om het lijf had dan een vibrator gebruiken, toen Connor haar bij haar dijen vastgreep en haar moeiteloos optilde, waarbij hij haar in meerdere opzichten uit balans bracht. Met een geschrokken kreetje klampte ze zich aan de barkruk vast en voelde de wereld kantelen.

Toen was hij er en raakte hij met zijn dikke punt de gladde, gespleten ingang naar haar poes. Ze kreunde onder zijn zachte duwtjes en hij maakte een kalmerend geluid dat haar misschien tot bedaren zou hebben gebracht als ze niet gek werd van de lust en nog honderd andere emoties.

'Ontspan je,' drong hij schor aan. 'Laat me binnen. Het komt goed.'

Hijgend dwong ze zichzelf te verslappen, bang dat ze te zwaar zou zijn en geschokt toen ze besefte dat hij haar moeiteloos omhooghield. Voorzichtig ging hij een paar centimeter verder en ze kon elke plooi en ader van hem voelen omdat ze zo strak om hem heen zat.

'O!'

'Raak jezelf aan.' Connor rilde terwijl hij meer van zijn dikke pik bij haar naar binnen schoof. 'Bevredig jezelf. Wat ben je strak…'

Stacey greep zich met één arm vast aan de kruk, terwijl ze haar hand tussen haar benen liet glijden. Ze was helemaal uitgerekt en strak om hem binnen te laten, waardoor haar clitoris nog verder uit zijn plooi tevoorschijn kwam. Ze was gezwollen, geil, glad; ze kon zich niet herinneren dat ze ooit zo opgewonden was geweest. Hij ging dieper naar binnen, en duwde met oppervlakkige, snelle stootjes die haar deden zuchten en smeken. Haar poesje kneep zich samen om zijn pik en hij kreunde, terwijl hij zijn vingertoppen in de huid van haar bovenbenen drukte.

'Toe maar, schatje,' fluisterde hij hees. 'Zuig me naar binnen. Neem me helemaal.'

Met een schreeuw van verlichting kwam ze keihard klaar, terwijl ze bleef wrijven en haar poesje overliep van het vocht, om het hem makkelijk te maken. Hij stootte hard, en grommend greep hij haar vast. Ergens in de verte hoorde Stacey de telefoon overgaan, maar dat was niet belangrijk; even later hoorde ze alleen nog maar het oorverdovende gesuis van het bloed dat door haar oren stroomde.

'Wacht even,' zei hij. In een gestaag ritme begon hij in haar poesje te stoten, hoog en hard op en neer te gaan, terwijl zijn krachtige bovenbenen zich inspanden tussen de hare. Ze deed haar ogen dicht en liet haar wang op de hardhouten krukzitting rusten, terwijl ze heen en weer schoof in haar eigen zweet, haar lichaam helemaal in brand omdat het zijne zo heet was. Zijn pik zat als een brandende fakkel in haar. Zij was geil, maar hij was nog geiler.

Het was ongelofelijk, maar de spanning werd weer opgebouwd, werd groter... Zijn zware ballen ketsten herhaaldelijk tegen haar zachte clitoris, een geluid dat zo erotisch was dat ze huiverde van de hernieuwde opwinding. De rand van zijn eikel streek langs een zacht plekje binnen in haar en ze kon niet langer wachten.

'O god,' jammerde ze. 'Ik ga weer klaarkomen.'

Hij spreidde haar benen wijd en stootte diep, terwijl hij bekwaam die magische plek in haar streelde en ze het buiten zinnen van opwinding uitschreeuwde. Zijn voldoening was tastbaar toen ze strakgespannen onder zijn meedogenloze stoten haar rug welfde.

Ondanks al zijn waarschuwingen dat hij haast had, leek hij geen enkele haast te hebben om klaar te komen nu hij binnen in haar was. Omdat ze het niet langer aankon en een beetje bang was voor wat er zou gebeuren als ze opnieuw zo hard zou klaarkomen, voelde ze tussen haar benen en pakte ze hem bij zijn ballen.

Connor vloekte en zwol op, waardoor ze helemaal gevuld werd. 'Ik kan het niet meer inhouden...'

Ze spande haar spieren verder aan en omhelsde hem met haar binnenste spieren. Hij maakte heftige bewegingen, en met een schraperig geluid diep uit zijn keel kwam hij klaar. Zij pik spande zich aan en maakte stuiptrekkingen met de kracht van zijn ejaculaties in een genadeloos, trekkend orgasme. Hij liet zich omlaag zakken en nam haar met zich mee, eerst op zijn knieën, toen op zijn rug, terwijl zijn zweet haar hemdje in gutste. Hij sloeg zijn gespierde armen om haar heen. Helemaal tot aan de vloer.

Waar hij haar vasthield met zijn lippen op haar voorhoofd, en bleef klaarkomen...

Hoofdstuk 5

'Hallo! Dit is de voicemail van Dr. Lyssa Bates en Aidan Cross. We kunnen op dit moment helaas niet aan de telefoon komen. In geval van nood…'

Met een binnensmondse vloek gooide Connor de hoorn op de haak en plofte weer op het bed.

Lyssa richtte zich op op één elleboog en keek met haar grote donkere ogen op hem neer. 'Geen gehoor?'

Hij schudde zijn hoofd.

'Misschien ligt Connor nog te slapen en is Stacey even ergens wat gaan eten,' opperde ze.

'Misschien. We moeten het later nog maar een keer mobiel proberen als we weer naar San Ysidro rijden.'

Hij keek naar de hanger die hij haar ter bescherming had gegeven. Het ding bungelde tussen haar borsten. Toen ze elkaar net ontmoet hadden, werd ze geplaagd door een rusteloze slaap, het resultaat van haar ongelofelijke vermogen om zowel Beschermers als Nachtmerries uit haar dromen te weren. Nu was ze een plaatje, haar bleke huid gebronsd door de zon, haar ogen niet langer gehuld in schaduw, haar wulpse figuur goed opgevuld en niet meer zo mager. Maar hoewel het pakketje beeldschoon was, ging het hem vooral om de inhoud – hij was verliefd op haar, haar vriendelijke karakter, haar medeleven, haar diepe liefde voor hem en haar verlangen om hem gelukkig te zien.

'Weet je zeker dat je een Beschermer hebt zien lopen?' vroeg ze voor de honderdste keer, terwijl ze het harde wasbordje op zijn buik streelde.

'Behoorlijk zeker, ja. En anders was het een Oudste. We weten het pas zeker als we daarheen gaan en ik haar kamer doorzoek.'

Lyssa kromp ineen. Hij legde zijn hand op haar achterhoofd en trok haar omlaag voor een snelle, stevige kus op haar voorhoofd.

'Vertrouw me,' drong hij aan.

'Dat doe ik ook. Dat weet je toch.' Ze slaakte een zucht en sloeg haar volle wimpers omlaag om te verbergen waar ze aan dacht. 'Maar dat wil nog niet zeggen dat ik niet als de dood ben als je jezelf in gevaar brengt. Ik word doodsbang bij de gedachte dat jou iets zou worden aangedaan.'

'Ik weet hoe je erover denkt, schoonheid, want zo denk ik ook over jou. Daarom moeten we nu doorzetten. Als we achtervolgd worden, moet ik dat weten.' Aidan stak zijn hand omhoog en wreef met zijn vingertoppen over een plukje van haar haar. 'We moeten te weten zien te komen of ze achter jou of de *taza* aan zit. Of beide. Shit, misschien is ze hier wel vanwege iets waar we nog helemaal niets van weten.'

Lyssa kwam overeind en ging rechtop zitten, met haar rug tegen het hoofdeind van het bed. Ze slaakte een zucht; het geluid vermengde zich met de golven die op het strand onder hun balkon tegen de kustlijn aan sloegen. 'Het is echt zwaar klote om de Sleutel te zijn.'

Hij mompelde iets op rustgevende toon. 'Het spijt me, schatje.'

Daar kon hij verder niets meer aan toevoegen en dat wisten ze allebei.

'Het is het allemaal waard, als ik maar bij jou kan zijn.' Haar lieve stem klonk diep en vurig.

Hij bracht haar hand omhoog naar zijn lippen en kuste de knokkels. 'Wil je nog een laatste biertje voor we uitchecken?'

Hij werd diep getroffen door haar glimlach, die hem verleidde om nog langer in bed te blijven, terwijl ze er eigenlijk vandoor moesten. Aidan kwam overeind en stapte het bed uit, voor zijn verstand werd overstemd door zijn hart. Dat gebeurde hem maar al te vaak, omdat hij zoveel van Lyssa hield. Hij werd gek bij de gedachte dat hun tijd samen beperkt was, dat er ergens een zandloper stond waar de zandkorrels van de tijd doorheen liepen. Voor een onsterfelijke had dat nogal wat te betekenen. En het was weinig goeds.

'Je zorgt altijd voor me,' mompelde ze. 'Past op me, steunt me. Ik zou niet weten wat ik zonder jou moest beginnen.'

'Daar zul je ook nooit achter komen, schoonheid.'

Lyssa keek in de donkerblauwe ogen van haar geliefde en vond het vreselijk dat ze zich diep vanbinnen zo bang voelde, dat er angst en een gevoel van verderf zaten waar ze misselijk van werd. Haar instinctieve reactie op de mededeling dat er een Beschermer in de buurt was, was heel hard wegrennen, in plaats van erachteraan te gaan en te kijken wat die wilde.

Ze keek hoe Aidan naar de tafel bij de open glazen schuifdeur liep. Met zijn zakmes sneed hij een van de tien limoenen die hij gisteren had gekocht, stopte toen een handjevol partjes in zijn hand en liep ermee terug naar het nachtkastje.

Lyssa was vol van de pure schoonheid van zijn lichaam en werd volledig in beslag genomen door de aanblik van Aidan. Die kwam op haar af met verrukkelijke, opbollende spieren en uitgestrekte handen waar limoensap uit druppelde. Bijna twee meter aan pure, onvervalste, goddelijke mannelijkheid. De man van haar dromen. Letterlijk. Een man die huis en haard had verlaten om bij haar te zijn. Een man die haar per se wilde redden van zijn eigen volk dat haar dood wilde, ongeacht het risico dat hij daar zelf mee liep. Ze hield zoveel van hem dat ze het voelde branden in haar borstkas, waardoor het moeilijk was om adem te halen.

'Sta je er wel eens bij stil dat het alles bij elkaar genomen misschien te veel voor je is om mij in je eentje te beschermen, voor McDougal te werken en die artefacten te zoeken?' Ze keek naar hem, op de rand van het matras, en legde haar hand op zijn schouder. De spieren bolden op toen hij de dop van de fles eraf schroefde en een limoenpartje in de flessenhals stak. De geur van zijn huid, iets exotisch en kruidigs, bereikte haar op hetzelfde moment als de pittige citrusgeur. 'Als er hier één Beschermer rondloopt, zijn er misschien wel meerdere.'

Hij draaide zijn hoofd om en keek haar recht in de ogen. Zijn irissen hadden een diepblauwe kleur, als van kostbare saffieren – uniek, net als alles aan hem. Scherpe kaaklijn en gevleugelde wenkbrauwen, pikzwart haar en een lichaam gemaakt om een vrouw mee te behagen. Hij was hard, pezig, en gevaarlijk mooi. En hij was van haar. Ze weigerde hem op te geven.

'Dat weet ik.' Hij gaf haar het flesje aan en pakte toen het zijne.

Zijn krachtige armspieren spanden zich aan bij de beweging, wat haar deed huiveren van de sensuele prikkels. Ze hadden de hele dag in bed doorgebracht, naar hartenlust van elkaar genoten, en nog steeds verlangde ze naar hem. Ze zou altijd naar hem verlangen en naar de lichamelijke verbintenis die hun liefde tastbaar maakte.

'Connor zou alleen maar komen als het om een zaak van leven of dood ging,' zei hij met vermoeide stem. 'Anders dan ik was hij gelukkig in de Schemering. Voor hem is dit niveau vast afschuwelijk.'

'Geweldig,' mompelde ze. 'Klinkt veelbelovend.'

Aidan had de oeroude profetie van zijn volk weerlegd, die beweerde dat zij de Sleutel was en was voorbestemd om zowel zijn als de menselijke wereld te verwoesten. Hij had zijn thuishaven in de Schemering achtergelaten vanwege zijn liefde voor haar. Geen enkele andere Beschermer zou ooit zo'n krachtige drijfveer hebben.

'Geef de hoop nog niet op.' Hij ging naast haar tegen het hoofdeind van het bed aan zitten en strekte zijn lange benen in kaki korte broek uit. Het begon al donker te worden, maar geen van beiden namen ze de moeite een lamp aan te doen. De badkamerdeur stond op een kier en het licht dat daardoorheen viel was voor hen allebei genoeg.

Aidan kantelde het flesje omhoog, dronk met grote teugen en leunde toen weer achterover met het biertje in zijn schoot. 'Misschien is er wel een manier om de Beschermers via dromen op te sporen nu ze hier zijn. Misschien heeft-ie goed nieuws.'

'Ik vind het afschuwelijk om me zo hulpeloos te voelen.' Rusteloos frunnikte Lyssa aan het etiket op het flesje. Ze liet haar blik afdwalen naar het zwaard en de schede op een stoel. 'Ik kan jouw taal niet lezen, dus kan ik je ook niet helpen met het ontcijferen van de logboeken die je hebt gestolen.'

'Voor onbepaalde tijd hebt geleend,' corrigeerde hij haar lachend.

Ze snoof. 'Ik ben niet getraind om te vechten, dus daar

kan ik je ook niet mee helpen. Ik heb geen eeuwen aan herinneringen zoals jij, dus kan ik je ook al niet helpen die artefacten te vinden.'

Hij stak een ijskoude, natte hand naar haar uit en bracht haar rusteloze vingers tot bedaren. 'Dat wil nog niet zeggen dat je me niet helpt. Jouw "zeer belangrijke taak" is ervoor zorgen dat ik opgeladen blijf. Daarom heb ik je dit keer met me meegenomen.'

'Ik wilde ook graag met je mee. Ik vind het vreselijk als je dagen of weken achtereen weg bent. Dan mis ik je te erg.'

Met een milde glimlach keek Aidan haar aan. 'Ik heb je nodig. Het is niet gewoon een kwestie van gemak. Iedere keer dat jij ademhaalt, geef je me reden om te leven. Iedere keer dat je glimlacht, geef je me hoop. Iedere keer dat je me aanraakt, komen al mijn dromen uit. Door jou kan ik blijven doorgaan, schoonheid.'

'Aidan…' Haar ogen prikten. Hij kon de meest afgezaagde dingen zeggen, maar uit zijn mond klonken ze nooit afgezaagd. Hij stortte zich overal voor honderd procent in – zelfs in zijn liefde voor haar.

'Voor ik jou leerde kennen, was ik op sterven na dood.'

Ze wist dat dat waar was. Niet lichamelijk dood, maar emotioneel. Aidan was destijds afgepeigerd door de impasse in de oorlog tegen de Nachtmerries en ontmoedigd door het feit dat hij met niemand verbinding voelde. Hij had overleefd. Niet geleefd. Hij had haar verteld hoe eenzaam hij zich had gevoeld, maar hij had het niet hardop hoeven uitspreken. Ze had de leegheid in zijn ogen gezien.

'Ik hou van je.' Ze boog zich naar voren en drukte haar lippen op de zijne.

Ondanks hun verschillen – die zo groot waren dat ze allebei wel van een andere soort leken – leken ze heel erg op elkaar. Geteisterd door haar droomloosheid, was ze te uitgeput geweest voor andere dingen naast haar werk. Aidans liefde had haar een hernieuwd optimisme voor de toekomst gegeven.

'Dat is je geraden,' zei hij plagend en legde zijn hand op haar achterhoofd om haar tegen zich aan te houden als ze zich zou terugtrekken. Hij likte haar lippen en nam haar onderlip tussen zijn tanden. Ze kreunde uitnodigend.

'Ik heb zin in je,' fluisterde hij, 'maar we moeten hier zo weg.'

Lyssa knikte en greep haar hanger vast. Vreemd hoe een steen, vervaardigd uit Nachtmerrie-as, versmolten tot een glasachtig materiaal uit de uitgedunde thuiswereld van de Beschermers, haar leven zo had kunnen veranderen. Maar hij straalde een unieke energie uit – een combinatie van Beschermer en Nachtmerrie, die beide partijen in haar dromen op afstand hield, waardoor ze normaal kon slapen. 'Ik heb mijn spullen al in de tas gegooid toen ik daarstraks uit de douche kwam.'

'Perfect.' Hij gaf een kus op het puntje van haar neus. 'We moeten wachten met uitchecken tot het helemaal donker is. Dan ga ik die motelkamer eens eventjes binnenstebuiten keren en er hopelijk achter komen wat onze Beschermer in haar schild voert. Vandaaruit kunnen we meteen door naar Ensenada, om het relikwie voor McDougal op te halen en de shaman te ontmoeten.'

'Prima. Ik ben dus de chauffeur die ons helpt te ontsnappen.'

'Yep, reken maar.' Aidan nam nog een flinke teug van zijn biertje. 'Maar dit keer heb ik in ieder geval kunnen bedingen dat we minstens twee weken de tijd krijgen om te zoeken. Ik ga Mexico niet uit zonder die *taza*.'

Eerder die maand had hij op het punt gestaan om een veiling te bezoeken en daar een bod uit te brengen op een obscure droompop, toen zijn werkgever, Sean McDougal, hem naar Californië had teruggeroepen omdat hij zijn mening wilde weten over de mogelijke aankoop van een zwaard. Aidan was woedend geweest, maar had er verder niks over te zeggen.

McDougal was een excentrieke en uitzonderlijk rijke antiekverzamelaar, en door zijn geschiedkundige kennis en vakkundige beheersing van elke taal op aarde was Aidan de perfecte teamleider voor de aankopen van McDougal. Deze baan verschafte hem de middelen om vrij van onkosten de wereld over te reizen. Het was echt de enige manier waarop hij het zich kon veroorloven om de artefacten op te sporen die in de logboeken van de Oudsten werden genoemd. Hij moest zijn baan behouden.

'Ik snap niet waarom de Oudsten nu pas Beschermers achter die artefacten aan sturen,' zei Lyssa, hardop nadenkend. 'Waarom niet voordat jij hierheen kwam?'

'Omdat ze voordat de Sleutel – jíj – gevonden was, hier veiliger waren. De Schemering is klein. Na een paar eeuwen zouden die objecten daar zeker zijn ontdekt. Hier lagen ze ver buiten het bereik van nieuwsgierige Aagjes.'

Met een diepe zucht gooide Lyssa de lakens van zich af. Ze liet zich van het bed af glijden, en moest glimlachen toen Aidan zachtjes waarderend floot toen ze ging staan. Ze pakte een zomerjurkje met spaghettibandjes en liet het over haar hoofd glijden, nam vervolgens haar biertje en liep naar het balkon om het laatste stukje zonsondergang aan zee te bewonderen. Even later sloeg hij zijn armen om haar heen en hield met een hand de reling vast, en zijn biertje in de andere. Met zijn lippen ging hij zachtjes langs haar schouder en de omhelzing van zijn veel grotere lichaam was een welkome troost.

Van beneden steeg de geur van een barbecue omhoog. Vlak bij hen, op het kleine plastic tafeltje in de hoek van het balkon, stond een open flesje zonnebrandcrème dat een milde kokosgeur verspreidde. Voor Lyssa waren al die dingen die ze zag en hoorde inherent aan een druk toeristenoord in Baja, Californië. Maar ze maakte zich zorgen om Aidan, omdat ze wist dat als je eeuwenlang in een bubbel had geleefd – technisch gezien een kanaal tussen twee bestaansniveaus – zo'n overvloed aan zintuigelijke prikkels intens en schokkend moest zijn.

'Mis je het wel eens?' vroeg ze zachtjes. 'De Schemering?'

Ze voelde zijn glimlach tegen haar huid. 'Niet op de manier die jou misschien voor ogen staat.'

Lyssa draaide zich om in zijn armen met haar gezicht naar hem toe, en zag tot haar blijdschap een ondeugende twinkeling in zijn blauwe ogen. 'O?'

'Soms mis ik de absolute stilte en de vertrouwdheid van mijn huis, maar alleen omdat ik jou mee daarnaartoe wil nemen. Ik wil ergens alleen met je zijn, waar we veilig zijn. Waar we ons niet druk hoeven te maken om tijd en ik ieder geluid kan uitschakelen. Ik wil alleen maar jou horen... de geluidjes die je maakt als ik in je ben.'

'Wat zou dat heerlijk zijn,' fluisterde ze, terwijl ze haar armen om zijn slanke middel sloeg, haar liefde om de zijne wikkelde.

'Het is mijn droom,' mompelde hij, en liet zijn kin op de bovenkant van haar hoofd rusten. 'Gelukkig weten wij dat dromen geen bedrog zijn.'

Stacey verroerde zich als eerste. Connor moest de neiging onderdrukken om haar stevig vast te houden. Ze lag met die verrukkelijke kont tegen zijn lendenen aan te wiebelen en zijn pik reageerde er wonderbaarlijk op, zeker gezien het feit dat hij zich verre van op en top voelde. Heen en weer reizen tussen bestaansniveaus vergde nogal wat energie.

'Mijn god,' zei ze zachtjes. 'Hoe kun je híérna nog steeds een stijve hebben?'

Hij begroef een grinnikje in de geurige bos zwarte glanzende krullen en omhelsde haar nog steviger. Zoals hij al verwacht had, was ze zacht en warm, een heerlijke schuilplaats en een bron van genot in een wereld die naar de kloten was. Hoewel hij nooit de neiging had gehad om problemen uit de weg te gaan, stond hij toch in de verleiding om zich samen met Stacey ergens te verstoppen. Gewoon weg te kruipen in een slaapkamer ergens en net doen alsof de afgelopen weken nooit waren gebeurd. 'Jij ligt hier met je kleine geile lijf tegen me aan te wrijven. Ik zou me zorgen maken als ik géén stijve kreeg.'

'Je bent niet goed snik. Ik kan niet meer.'

'O nee?' vroeg hij poeslief, terwijl hij één hand tussen haar gespreide benen liet glijden. Hij kantelde zijn heupen naar boven en duwde zijn pik dieper bij haar naar binnen, terwijl hij met zijn vrije hand een volle borst vastgreep. Met respectvolle vingertoppen draaide hij om haar clitoris heen, heel voorzichtig na haar eerdere verwoede gewrijf. 'Ik doe al het werk wel, maak je geen zorgen.'

'I-ik ben niet... O! Ik kan niet...'

'Tuurlijk wel, snoesje.' Connor gaf likjes om haar oorschelp heen en stak toen zijn tong naar binnen. Ze huiverde en werd helemaal nat om zijn pik heen. Die voelde verrukkelijk en met kleine duwtjes bewoog hij zijn heupen steeds verder omhoog, terwijl hij haar heerlijk strakke poesje vanbinnen masseerde met de grote kop van zijn pik. Haar met zijn hele lichaam en al zijn kunde bevredigde. De huivering van de Nachtmerries en zijn heimwee voelde smelten door de hitte van haar reactie.

Ze begon te jammeren en te kronkelen, strekte zich uit in zijn armen, terwijl ze fluisterend smeekte: '…ja… o, god… dieper…'

Hij nam haar tepel tussen zijn vingers en kneep erin, trok er zachtjes aan. Haar bekkenspieren plooiden zich om zijn volle lengte, waardoor hij begon te kreunen.

'Goed zo,' prees hij haar, compleet in beslag genomen door haar reactie. Ze was helemaal op hem gefocust, terwijl ze boven op hem zat, wat perfect was. Zíj was perfect.

In zijn armen verloor Stacey met een ijle schreeuw al haar zelfbeheersing, en bijna kwam hij klaar. Hij klemde zijn kaken op elkaar en hield zich in, terwijl hij haar met kusjes en lieve woordjes tot bedaren bracht.

'Jezus,' stamelde ze, terwijl ze haar hoofd opzij liet vallen. Haar wang drukte tegen de zijne. 'Drie orgasmes binnen een uur. Wou je me soms dood hebben?'

'Heb je klachten? Ik kan het nog wel een tandje opschroeven, hoor.'

Ze sloeg op zijn hand toen hij een kneepje in haar tepel gaf en hij moest lachen.

'Ik vind je lach leuk,' zei ze verlegen.

'Ik vind jou leuk.'

'Je kent me niet eens.'

'Hmm… Ik weet dat je van je zoon houdt en dat je een goede vriendin van Lyssa bent. Ik weet dat je stoer bent en je helemaal in je eentje, zonder alimentatie, een kind hebt grootgebracht, iets waar je terecht gepikeerd over bent. Je hebt geen remmingen en zit lekker in je vel. Je hebt een zwart gevoel voor humor en denkt dat mannen bij jou alleen maar uit zijn op seks.'

'Soms komt dat wel goed uit, hoor.' Ze giechelde, en door de combinatie van het meisjesachtige geluid en haar wulpse vrouwenlichaam werd hij nog harder. 'Jezus. Misschien moet je eens naar dat ding laten kijken.'

'Ik heb maar één orgasme gehad, en jij drie,' betoogde hij. 'En ik wil meer van je dan alleen maar seks.'

Ze verstijfde.

'Ik heb hier geen vrienden, Stacey. Alleen Aidan.'

'Moet je horen…' Ze kwam overeind en liet zich van hem afglijden.

Connor slaakte een onhoorbare zucht van teleurstelling en kwam ook overeind. Hij trok het irritante condoom eraf. Dat soort voorzorgsmaatregelen waren helemaal niet nodig in de Schemering, waar geen ziektes bestonden en voortplanting gepland moest worden. Maar dat kon hij niet tegen haar zeggen; ze zou hem nooit geloven.

'Voor een hoop mensen is het prima om een vriendschap te hebben waarbij je af en toe met elkaar in bed belandt. Maar voor mij werkt dat niet.'

Hij nam even de tijd om de gastenbadkamer in te lopen en gooide het condoom weg. 'Oké…'

Hij deed de wc-bril omhoog en piste met de deur open, terwijl hij wachtte tot ze klaar was met haar gesputter.

Stacey leunde tegen de deurpost en keek bedachtzaam naar hem. Het feit dat hij in het volle zicht naar de wc ging was ordinair en ook een beetje grof, maar ook wel onomstotelijk intiem, en daar was hij op uit. Intimiteit. Verbinding. Het maakte hem niet uit hoe hij het kreeg, als hij het maar kreeg. Ze leek er ook voldoende gefascineerd door te zijn om te vergeten dat ze van onderen helemaal naakt was. Ze bood een uitzicht dat hij enorm kon waarderen.

'Ik ben er nog niet over uit of je nou hoogst onbeleefd en arrogant bent,' mompelde ze, bijna in zichzelf, 'want daar kan ik moeilijk tegen. Of dat je gewoon open en vol zelfvertrouwen bent, wat ik leuk vind.'

'Je vindt me leuk.'

Ze snoof en sloeg haar armen over elkaar. 'Ik ken jou lang niet zo goed als jij denkt dat je mij kent. Het enige wat echt voor je spreekt, is je vriendschap met Aidan, die al met al een goeie vent is.'

Connor deed alsof hij een pruillip trok. 'En spreken drie orgasmes dan niet een heel klein beetje in mijn voordeel?'

Ze trok haar mondhoek wat omhoog en ineens wilde hij niets liever dan haar aan het lachen maken. Ze was te serieus. Hij kon het gevoel niet van zich afschudden dat er onder die harde buitenkant een kwetsbare binnenkant zat, waar maar heel weinig mensen bij mochten komen.

'We hadden dit nooit moeten doen,' zei ze.

Hij trok de wc door en liep toen naar de wastafel om zich te wassen. In de spiegel bestudeerde hij Staceys spiegelbeeld. Hun blikken kruisten elkaar. Ze bleven elkaar aankijken. 'Waarom niet?'

'Omdat onze beste vrienden gaan trouwen; jij en ik zullen elkaar zo nu en dan tegen het lijf blijven lopen. En dit,' ze gebaarde met haar hand tussen hen, 'zal er altijd zijn. Dat we seksuele informatie over elkaar hebben. Dat ik jou heb zien plassen.'

Hij trok de handdoek van de haak, droogde zijn handen en ging toen weer tegen de wastafel aan staan. 'Blijf jij dan nooit bevriend met mensen met wie je naar bed bent geweest?'

Ze beet op haar gezwollen onderlip. Normaal had hij niet zoveel met zoenen, maar aan het onmiskenbare verlangen om die mond op de zijne te voelen had hij geen weerstand kunnen bieden. Stacey had volle, weelderige lippen. Connor wilde ze overal voelen. Over zijn hele lichaam.

Bij die gedachte sprong zijn pik, nog half overeind door de omklemming van Staceys orgasme van zojuist, in het gelid.

'Oké.' Met een beschuldigende vinger wees ze naar zijn zwaaiende erectie. 'Dat ding daar is seksueel gestoord.'

Connor moest lachen, maar viel stil toen ze met hem mee begon te lachen. Het was een geluid dat hij niet had verwacht. In plaats van een meisjesachtige trilklank klonk het diep en hees, bijna schor, als een mogelijkheid die zelden werd gebruikt. Haar groene ogen sprankelden en ze kreeg blosjes op haar wangen.

'Beeldschoon,' zei hij.

Ze keek opzij, draaide zich toen van hem af en liep terug naar de eetkamer om haar weggesmeten kleren bijeen te rapen. In een duidelijk verdedigende houding hield ze die tegen haar bovenlijf en ongedwongen ging hij tegen de deurpost aan staan.

'Je hebt mijn vraag nog niet beantwoord,' mompelde hij, terwijl hij haar aandachtig in zich opnam.

Ze haalde haar schouders op. 'Wat mannen betreft heb ik een slechte smaak.'

Daar had hij niets op te zeggen. Hij nam haar zorgvuldig in zich op.

'Ik ga even douchen.' Ze wilde langs hem heen lopen.

Hij pakte haar bij haar arm en hield haar tegen. 'Stacey.'

Eerst liet ze haar blik rusten op zijn hand die haar bovenarm omsloot, waarna hij weer naar boven dwaalde om de zijne te kruisen. Ze trok haar wenkbrauwen omhoog.

'Hou je van Chinees?'

Ze knipperde met haar ogen en trakteerde hem toen op een zachte glimlach, omdat ze doorhad dat hij haar de vredespijp aanbood. 'Moo shu varkensvlees. En wantons met roomkaas.'

'Komt voor de bakker.'

Even bleef ze aarzelend staan, toen knikte ze en liep ze naar de trap.

Connor wist wat er nu zou gebeuren: ze zou volledig gewassen en aangekleed beneden komen, een uiterlijk vertoon van haar innerlijke beslissing om met een schone lei te beginnen. Ze zou opnieuw willen beginnen en doen alsof ze elkaar nu pas ontmoetten en nooit hadden geneukt. Dat wist hij doordat hij zelf in de Schemering ook altijd op die manier met dit soort situaties was omgegaan. Hij had al eeuwenlang het excuus kunnen aanvoeren dat hij vroeg in de ochtend moest trainen, om maar niet te hoeven blijven slapen. Hij had dolgraag gewild dat Stacey hun wat meer tijd als geliefden had gegund, maar hij respecteerde haar beslissing en dacht zelfs dat ze misschien wel een punt had. Ze konden dit maar beter meteen de kop indrukken, in plaats van zich een hoop gedoe op hun hals te halen.

Van nature gingen Elitestrijders emotionele verbintenissen uit de weg. Maar heel weinig Strijders gingen met elkaar in zee, en degenen die dat deden hielden het meestal niet lang vol. Om succes te hebben moest je onthecht zijn. Voor de Beschermers die de pech hadden om verliefd op een Elitestrijder te worden, lag er een eenzame en ongelijkwaardige affaire in het verschiet. Elitestrijders waren niet in staat om evenveel liefde te geven als ze kregen. Daarbij was het bij Connor gewoonweg ingebakken om zich op zijn missie te blijven concentreren.

'De familie Bruce leeft met en sterft door het zwaard.' Hardop herhaalde hij het vertrouwde motto. Er bestond geen andere manier.

Dat maakte hem nou zo speciaal geschikt om sensuele Dromers te beschermen: hij had een symbiotische relatie met hen. Hij kon een fantasie waarmaken en verbinding voelen met iemand anders, de droom van diegene vervullen, terwijl hij in zijn eigen behoefte aan warmte voorzag. Een paar uurtjes de liefde van iemands leven zijn was voldoende om de ergste kou uit een huis en bed te halen dat hij met niemand deelde.

Hij slaakte een zucht, rechtte zijn schouders en liep naar de keuken, waar hij een lade met afhaalmenu's vond. Lyssa en Aidan aten zo vaak in het Chinese restaurant Peony's dat ze er een rekening hadden lopen, iets wat Connor wist doordat hij Aidan in zijn droom had bezocht.

Als een Beschermer in verbinding met een stroming kwam te staan, werden alle herinneringen van de Dromer een open boek. Alles wat in Aidans hoofd zat opgeslagen, zat nu ook in dat van Connor. In het begin was het een gruwelijk zware aanpassing geweest, die stroom van eeuwen aan herinneringen – zowel die van Aidan als van de duizenden Dromers die Aidan had beschermd. Connor had geleerd om zich op de vrolijkste momenten te concentreren, om zijn eigen geestelijke gezondheid te bewaren.

Natuurlijk waren de vrolijkste momenten uit Aidans leven de momenten met Lyssa, waardoor Connor had ervaren hoe het was om zwaar verliefd op een vrouw te zijn. Eeuwenlang was hij in fantasieën zelf de ontvanger van dat soort overweldigende liefde geweest. Toen Aidans dromen met hem werden gedeeld, was hij erachter gekomen hoe het was om die liefde terug te geven.

Connor pakte het menu dat hij wilde en deed de la weer dicht. Er wreef iets warms en zachts tegen zijn enkels en hij keek omlaag, waar hij JB om zijn blote voeten heen zag draaien. Op dat moment realiseerde hij zich dat hij nog naakt was. Als hij alleen thuis was voelde hij zich zo altijd prima op zijn gemak. Maar hij was er vrij zeker van dat Stacey er zenuwachtig van zou worden, dus legde hij het menu op het granieten aanrechtblad en besloot iets van Aidan aan te trekken.

Net toen hij boven aan de trap was beland, ging de badkamerdeur open. Stacey liep het korte gangetje op, omringd door een wolk van geurige stoom. Haar haar was in een witte tulband omhoog gewikkeld en haar welgevormde lichaam zat onder een bijpassende handdoek verstopt. Haar blik ging omlaag naar de kat, die schaamteloos om zijn voeten kroelde, en toen weer omhoog naar zijn ogen, waarbij ze hem onderweg liet rusten op alle plekken die verhit en hard werden onder haar bestuderende oogopslag.

Connor genoot evengoed van het uitzicht. Haar satijnzachte huid was rozig van de douche en het therapeutische effect van seksuele ontlading. Haar groene ogen met de volle wimpers waren zo helder als jade, haar volle lippen roder, haar borsten geaccentueerd door de knoop van de handdoek ertussen.

Ineens werd zijn voornemen om afstand te bewaren en haar de ruimte te geven onder de voet gelopen door het urgentere verlangen om haar onder zich te voelen. Hij had op dit niveau niemand met wie hij kon praten, niemand met wie hij de details over zijn helse dag kon delen, geen Dromer om zich in te verliezen, geen Elitestrijder om strategieën mee te bedenken. Hij had geen idee of hij ooit naar huis zou terugkeren. Maar Stacey had hem dat heel even allemaal doen vergeten. Ze had hem een reden gegeven om te glimlachen en iets om zijn aandacht af te leiden – zichzelf.

Net zoals hij nu door haar werd afgeleid.

Hij gebaarde naar de hoofdslaapkamer aan het andere eind van de gang. 'Ik ging even wat kleren pakken.'

Ze knikte. 'Ik kom zo naar beneden.'

'Oké,' zei hij flauwtjes, geschrokken door de vreemde gevoelens die hij ervoer.

Stacey draaide zich om en liep naar de deur van de logeerkamer waar ze sliep. Connor verroerde zich niet, hij stond aan de vloer genageld door het zachte, ongedwongen wiegen van haar perfecte kont. Stacey draaide aan de deurknop en liep een klein stukje de kamer in.

'Je staart naar me,' wierp ze hem over haar schouder toe voordat ze uit het zicht verdween achter de dichtvallende deur.

'Ik weet het,' mompelde hij.

Lang nadat hij de deur in het slot had horen vallen, stond hij nog steeds te staren.

Hoofdstuk 6

De kust was altijd mooi op een zwoele avond. Deze avond vormde daar geen uitzondering op, maar Aidan was te zeer op zijn missie gericht om te kunnen genieten van het zachte, zilverkleurige vollemaanlicht of de muziek van de golven. Met stille tred sloeg hij de hoek van het motel om, op weg naar kamer 108. Overal waren mensen – groepjes twintigers in uitgaanskleding met flessen drank in hun hand, en oudere koppeltjes die naar het strand toe wandelden.

Hij maakte zich niet druk om het aantal mogelijke getuigen. In deze omgeving leek niemand ergens op te letten. Shit, hij durfde zelfs te wedden dat hij gewoon iemand kon vragen hem een handje te helpen bij zijn inbraakpoging. Met een simpel verhaaltje over dat hij in een compromitterende situatie zijn sleutel was verloren, zou hij er al zijn. Maar een list was niet nodig. Aidan had het slot van de conciërgedeur, die zich gelukkig buiten het zicht van de gasten bevond, al geforceerd en de loper gejat.

Gewapend met de benodigde spullen liep hij weer weg, heel relaxed, fluitend, met zijn handen in zijn zakken en zijn gedachten bij Lyssa, die in de auto met een geladen pistool op schoot zat te wachten. In gedachten zag hij haar voor zich – haar volle mond met de vastberaden trekken, haar donkere ogen hard en op hun hoede. Hij vond het geweldig dat ze van nature meelevend en zachtaardig was, maar daarbij ook stoer en slim, en alles wilde doen wat nodig was om hen in leven te houden.

Hij had genoeg romantische fantasietjes met Dromers gedeeld om te weten dat niet alle vrouwen deze situatie zo nuchter zouden benaderen. Sommige zouden alleen maar jammeren, huilen en wachten tot ze gered werden.

Voor de juiste deur bleef Aidan even staan. Hij zag geen licht tussen de gordijnen voor het grote raam door schijnen. Niemand thuis. Daar was hij blij om, maar tegelijkertijd ook niet. Als de Beschermer binnen was geweest, had hij tenminste geweten waar ze uithing. Maar op dit moment zou ze overal wel kunnen zijn. Of op een bepaalde plek – vlak bij Lyssa bijvoorbeeld.

Aidan haalde de sleutel uit zijn zak, stak hem in het slot en draaide hem om. Het mechaniek sprong open. Hij gooide de deur wagenwijd open en drukte op het lichtknopje aan de muur. Het licht op het tafeltje tussen de twee bedden ging aan, waardoor hij kon zien dat het ene matras bezaaid was met de inhoud van een duffeltas en het andere netjes was opgemaakt. Naast het slaapgedeelte hing een wastafel, met een spiegel erboven en een deur naar de badkamer ernaast.

De kamer was leeg.

Hij ging naar binnen, deed de deur achter zich dicht en trapte tegen de bedrand. De punt van zijn laars kwam tegen het hol klinkende triplex aan, een goedkoper alternatief voor traditionele bedframes. Er kon niemand onder de bedden verstopt zitten. Toen liep hij naar de badkamer, om te controleren of daar niemand verdekt stond opgesteld, en uiteindelijk liep hij naar de spullen op het matras – een communicatieapparaatje, een hele verzameling landkaarten en messen en een datachip, waar helaas geen lezer bij zat. Desondanks besloot Aidan het allemaal mee te nemen en stopte alles in de duffeltas. Toen hij zijn hand in de zak stak, voelde hij iets hards en kouds. Zijn hart sloeg op hol. Hij sloeg zijn vingers om de steel en trok het eruit.

De *taza*. Met daarin iets gewikkeld in dikke stof. Hij trok het kleine bundeltje eruit en maakte het open. Er zat een metalen object in, onder een laagje uitgedroogde modder. Met zijn vingertoppen wreef hij eroverheen en ontblootte het verfijnde filigranen krulwerk. Hij had geen idee wat het was, en voor het grondig was schoongemaakt zou hij daar ook niet achter komen, maar voor zijn geoefende oog was het duidelijk iets heel belangrijks. Hij pakte het weer in, stak het in zijn zak en richtte toen zijn aandacht weer op de *taza*.

Die zag er precies zo uit als op de weergaven in het logboek van de Oudsten: gemaakt van een zilverachtig materiaal, door de tand des tijds getekend, met deukjes en lege vattingen waar de rand ooit met juwelen was ingelegd. Hij was er nog niet achter welk doel dit voorwerp diende, maar het was van hem. In zijn bezit. Er verscheen een lichte glimlach om zijn mond, waar zijn lichte gevoel van voldoening uit sprak. Hij was weer een stapje dichter bij de waarheid waardoor Lyssa hopelijk bevrijd zou kunnen worden.

Een vlugge inspectie van de laden en de kast leverde weinig op. Wat kleren en nog meer van die sieraden met scherpe punten die hij de Beschermer eerder die dag had zien dragen. Nog steeds geen datachip-lezer. Vette pech, maar beter iets dan niets.

Hij sloeg het lange hengsel van de tas over zijn schouder en draaide zich net om naar de deur, toen hij een sleutel in het slot hoorde. Een fractie van een seconde verstijfde hij, terwijl hij snel bedacht dat het licht aan was, wat van buiten duidelijk te zien was. Hij liet de tas vallen en ging op zijn hurken zitten, al klaar voor actie.

De deur vloog open in een explosie van lawaai en beweging. Zijn tegenstander haalde rechtstreeks naar hem uit; haar bewegingen leken één grote waas van rood haar en suizende zwarte rokken. Een angstaanjagend harde en schelle gil doorkliefde de lucht, waardoor hij opschrok en tot actie overging. Aidan sprong omhoog, net toen haar lichaam het zijne geraakt zou hebben. Allebei werden ze verrast door de snelheid van zijn tegenaanval, en de brute impact ontlokte aan hem een grom. Zij stiet een woedende schreeuw uit.

In elkaar verstrengeld vielen ze op de vloer. Zij deelde klappen uit en hij vocht terug. Hij probeerde niet te bedenken dat ze vrouw was. Het was hij of zij.

Ze draaide hem op zijn rug, hief haar bovenlijf met één hand omhoog om haar andere hand te bevrijden voor een stomp omlaag. Op dat moment ving Aidan een glimp van haar gezicht op. Een korte flits, maar genoeg om hem perplex te doen staan. Verbijsterd hield hij in, en met volle kracht belandde haar vuist op zijn gezicht.

Door de pijn werd hij wakker geschud. Met zijn voeten plat op de vloer kantelde hij zijn heupen omhoog, waardoor ze over zijn hoofd werd geschoven. Hij draaide zich op zijn buik en kroop boven op haar trappende voeten, terwijl hij het spervuur aan stoten knarsetandend over zich heen liet komen. Hij trok zijn arm terug en gaf een dreun op haar slaap. Daarmee zou hij een uit de kluiten gewassen man meteen bewusteloos hebben geslagen. maar de roodharige vrouw ontblootte alleen haar hoektanden en siste als een wild dier.

'Wat gaan we nou krijgen?' gromde Aidan, terwijl hij met moeite de verwilderde Beschermer in bedwang hield.

Samen vielen ze hard genoeg tegen het kastje naast hen om het meubelstuk tegen de muur te laten klappen. Met haar nagels ging ze over de ontblote huid van zijn onderarmen en greep zijn shirt vast. Ze bleef maar doorgaan, nog nooit in zijn eeuwenlange leven had Aidan zoiets meegemaakt. De vrouw was bezeten, meedogenloos, en werd op de een of andere manier voorzien van een bijzondere kracht, waardoor ze maar door kon blijven gaan waar ieder ander het loodje zou hebben gelegd.

Uiteindelijk had hij maar één keus.

Aidan vocht om in de juiste houding te komen en sloeg toen zijn armen om haar hoofd. Daarop probeerde hij, alsof hij een biertje met schroefdop opentrok, haar nek om te draaien. Dat zou hem nog geen minuutje hebben gekost, ware het niet dat zij ongelofelijk sterk was en als een woest beest heen en weer bleef kronkelen. Er schoot een withete pijn diep door zijn been, die hem voorzag van de laatste adrenalinestoot die hij nodig had om haar nek ver genoeg te draaien. De versplintering van haar ruggengraat klonk door de kamer. De daaropvolgende stilte – slechts onderbroken door zijn moeizame snakken naar adem – was huiveringwekkend.

Aidan keek omlaag naar het levenloze lichaam in zijn armen, terwijl hij in gedachten nog steeds vocht met haar ogen, die pikzwart waren zonder pupillen of irissen om ze zachter te maken, en haar tanden, die gekarteld waren en angstaanjagend scherp in het gapende gat van haar mond.

Wat ze in vredesnaam ook mocht zijn, een Beschermer was ze niet. Dat stond als een godvergeten paal boven water.

Aidan kwam overeind en strompelde vloekend op één knie terug. Toen hij naar zijn been keek, zag hij de dolk erin zitten. Dit verklaarde de vreselijke pijn van zojuist.

'Verdomme!'

Hij trok de kling uit zijn bovenbeen, scheurde een strook van de lange zwarte katoenen rok van de roodharige en bond die om als provisorisch verband. Morgen zou hij volledig genezen zijn, maar de tussentijd moest hij nog wel zien door te komen.

'Shit.' Woedend keek hij naar het dode *ding* op de vloer. 'Hoe kan ik jou met dit been nou ooit naar buiten dragen?'

Maar hij kon haar niet hier laten. Ze was niet menselijk, en hij kon dus niet voor moord worden aangeklaagd.

Aidan hees zich weer overeind en leunde tegen de televisie aan. De kamer bleef maar draaien. Hij zoog zuurstof naar binnen alsof hij een marathon had gelopen en nu de adrenaline een beetje was afgenomen, merkte hij pas hoeveel krasjes en wondjes hij had. Zijn been deed ook verrekte veel pijn.

Hij boog zich naar de grond en raapte de duffeltas weer op. Toen legde hij het slappe gewicht van zijn ongewenste last over zijn schouder en ging de kamer uit.

Hij was al een paar deuren verder toen er een groepje jonge mannen in hippe outfits de hoek om kwam. Een van hen vroeg: 'Wat is er aan de hand, man?'

'Ik zei nog zo dat ze moest kappen na het vijfde shot,' legde hij uit, zijn pas vertragend. 'Maar ze wou niet luisteren. Daarna ging het helemaal mis. Ik hoop alleen maar dat ik op tijd bij onze kamer ben, voor ze mijn hele rug onderkotst.'

'Da's mooi klote voor je,' zei een van de jongens meelevend. 'De clubs komen net op gang en jouw avond is al afgeschreven. Een potje neuken kun je ook wel vergeten, tenzij je haar loost.'

'Kon ik dat maar,' zei hij, en dat meende hij oprecht.

De rest van het groepje moest lachen en stelde voor dat hij 'die kut de volgende keer beter thuis kon laten'.

'Goed idee,' mompelde hij, en liep verder.

Het was een lange wandeling terug van de kamer naar de gehuurde groene Honda Civic, een verdomd stuk langer dan van de auto naar de kamer.

Lyssa sprong uit de auto toen ze hem aan zag komen, deed de veiligheidspal van het pistool weer terug voor ze hem in de riem van haar afgeknipte spijkerbroek stak. Ze had haar lange blonde haar in een paardenstaart; haar strakke buik kwam onder haar korte witte T-shirt uit. Haar gezicht was frisgewassen en make-uploos. Aidan wist zeker dat hij in zijn hele leven nog nooit zoiets moois had gezien. Hij deed alles om haar veiligheid te bewaken.

'O god.' Ze knipperde met haar ogen. 'Ga je haar kídnappen?'

'Zoiets, ja.' Grommend strompelde hij over de hobbelige zandweg.

'Wat is er? O, shit! Je been bloedt.'

'Doe de achterdeur eens open, schoonheid.'

'Kom nou niet aan met "schoonheid",' mompelde ze

terwijl ze vlug deed wat hij vroeg. 'Het is niet de bedoeling dat je gewond raakt!'

'Nou, het is altijd nog beter dan dood zijn, zoals onze grote vriendin hier.'

Hij voelde Lyssa's afschuw en verwarring.

'Jezus… is ze dóód? En ga je haar in de auto leggen?' Verstijfd bleef ze staan en keek toe terwijl hij hun passagier languit op de achterbank neerlegde. 'Sorry, ik kraam echt onzin uit,' zei ze uiteindelijk. Alleen uit de hoge klank van haar stem kon hij opmaken hoe ontzettend geschrokken ze was. 'Er zit niets anders op dan haar mee te nemen. We kunnen haar moeilijk hier laten, nietwaar?'

'Inderdaad.' Aidan kroop de krappe achterbank weer af en ging rechtop staan om haar aan te kijken. Ze zag bleek, haar ogen waren te groot, haar lippen kleurloos. Voor het eerst werd ze geconfronteerd met onomstotelijk bewijs van wat hij was: een strijder die doodde als dat nodig was. 'Gaat het?'

Lyssa haalde diep adem, haar blik schoot naar het lichaam in de auto. Toen knikte ze. 'Ja.'

'Ben je niet kwaad op me?' vroeg hij bars.

Bedenkelijk keek ze hem aan. Toen lichtte haar gezicht op. 'Nee. Ik weet dat je dit voor mij hebt gedaan. Voor ons. Het was jij of zij, toch?'

'Inderdaad.' Hij wilde haar voelen, haar over haar wang strelen, en haar dicht tegen zich aan trekken om de geur van haar huid op te snuiven. Maar hij voelde zich vies en wilde haar niet aanraken tot hij weer schoon was.

'Nou, op haar ben ik niet verliefd, dus je hebt de juiste keus gemaakt.'

Opgelucht grinnikte hij, en hij voelde de spanning uit zijn lichaam wegtrekken. 'Ze had ook nog een *taza*, wat echt verdomde goed uitkomt omdat we het toch niet meer gaan redden naar Ensenada.'

Terwijl ze haar evenwicht hervond, stak ze haar kin omhoog en rechtte ze haar schouders. 'Moet ik de verbandkoffer pakken?'

Ze waren zo slim geweest een EHBO-koffer mee te nemen. Hun leven samen was gevaarlijk, en daar waren ze zich allebei maar al te bewust van.

'Niet hier,' zei hij. In vergelijking met mensen genas hij snel, maar hij was erachter gekomen dat hij met een hechtinkje hier en daar de hersteltijd tot een uurtje of twee kon beperken. 'We gaan terug naar de grens. Onderweg stoppen we wel op een rustig plekje.'

In de kofferbak lag een schep uit het leger, een van de onderdelen uit een uitrusting die hij bij de plaatselijke legerdumpzaak had gekocht. Hij wist dat Lyssa hetzelfde dacht.

'En het beeldje voor McDougal dan?'

'Ik zeg wel dat ik bij een beroving gewond ben geraakt, en onze reis heb moeten staken.'

Lyssa trok een wenkbrauw omhoog. 'Jij, zo'n uit de kluiten gewassen kerel?'

Aidan haalde zijn schouders op. 'Hij kan niet bewijzen dat ik lieg.'

'Oké.' Ze zette een stap naar achteren en deed het portier aan de passagierskant open. 'Laten we maar opschieten.'

Hij kreeg het niet langer voor elkaar om afstand te bewaren en drukte een kus op haar wang, waarna hij voorzichtig de auto in probeerde te stappen.

'Ik hou van je,' zei ze.

'Dank je wel.' Hij keek haar aan. 'Dat moest ik even horen.'

Ze wierp hem een kushandje toe. 'Dat weet ik.'

Binnen een paar minuten reden ze op de weg naar het noorden.

Stacey keek hoe Connor nog meer Kung Pao-kip opschepte. De salontafel lag bezaaid met meerdere, voornamelijk lege, doosjes van de Chinees. Ze legde haar chopsticks neer en nam een wonton met roomkaas. 'Ik heb nog nooit iemand zo veel eten in één keer naar binnen zien werken,' zei ze spottend.

Hij kreeg weer die jongensachtige grijns op zijn gezicht die haar vlinders in haar buik bezorgde. 'Jij bent ook een aardig goeie eter,' zei hij. 'Dat mag ik wel.'

'Mijn heupen anders niet.'

'Jouw heupen weten niet wat goed voor ze is.'

'Ha.'

Pseudo-boos keek Connor haar aan en hij hanteerde bedreven zijn chopsticks om een stukje kip naar zijn mond te brengen. Ze liet haar blik naar zijn ontblote buik glijden en bewonderde de puur mannelijke schoonheid van zijn wasbordje. Zelfs na het eten van een portie waar zij en Justin een week mee zouden doen, zag hij er nog steeds strak, slank en hard uit.

Adembenemend.

Ze kon nog steeds maar moeilijk bevatten dat ze zojuist seks hadden gehad, hoewel haar lichaam nog tintelde van de nawerking. Ze zaten in kleermakerszit op de vloer van de woonkamer naar *The Mummy* te kijken, een van haar favoriete films. Ze was dol op van die opgeblazen actiefilms met een knappe held en een vleugje romantiek. Connor zei dat hij het ook leuk vond, maar hij bracht meer tijd door met naar haar kijken dan naar de televisie. Ze was ervan uitgegaan dat zijn interesse na de seks zou verslappen, op zijn minst een beetje. In plaats daarvan leek hij alleen nog maar geïnteresseerder. Ze moest toegeven dat hij haar ook intrigeerde.

'Goed, wat doe je hier nou eigenlijk?' vroeg ze, en ze plantte haar elleboog op tafel. Ze legde haar kin in haar hand.

'Ik heb informatie voor Aidan.'

'Kon je niet even bellen?'

'Met een glimlach schudde hij zijn hoofd. 'Dat heb ik geprobeerd. Hij onthoudt helemaal niks van wat ik tegen hem zeg.'

'Typisch een man,' zei ze plagerig.

'Pas maar op, schatje.'

Stacey vond het leuk als hij haar zo noemde. Door dat vette accent van hem kreeg het gewone koosnaampje iets heel oprechts. 'Heb jij net als Aidan bij de Speciale Troepen gezeten?'

'Ja.' Er zat een zweempje melancholie in zijn stem.

'Je klinkt alsof je het mist.'

'Dat doe ik ook.' Hij boog zich voorover, pikte de half opgegeten wonton van haar bord en stak hem in zijn mond.

'Hé!' sputterde ze afkeurend. 'Er zitten er nog in de doos.'

'Die smaken lang niet zo lekker.'

Ze kneep haar ogen samen en speels stak hij zijn tong naar haar uit. Op het scherm vocht Rick O'Connell tegen een meute mensen met de builenpest. Even keek ze ernaar, toen vroeg ze aan Connor: 'En wat doe je nu dat je uit het leger of wat dan ook bent?'

'Hetzelfde als Cross.'

Ze had geprobeerd Aidan zover te krijgen om een echt bestaande tak van het leger en de connectie met een land te noemen, maar hij hield zijn lippen stijf op elkaar. Lyssa zei dat het allemaal supergeheim en clandestien was.

Nou en? had Stacey gezegd. *Als hij het me vertelt, moetie me zeker vermoorden?*

Lyssa had moeten lachen. *Natuurlijk niet.*

Want even serieus, had Stacey gemompeld, *ik ga dood*

van nieuwsgierigheid, doc. Dus kan hij het me net zo goed
vertellen. Dat zou een fijnere dood zijn.

Natuurlijk koos Aidan ervoor om haar niet uit haar lijden te verlossen. Ze wist dat Connor uit hetzelfde hout gesneden was. Hij had net zo'n behoedzame uitstraling, alsof hij doodsbang was voor de vragen waarvan hij wist dat ze zouden komen.

'Weet je,' zei ze, 'in romantische verhalen worden de helden van de Speciale Troepen na hun vertrek meestal hightech-beveiligingsexperts. Geen… onderzoekers… of personal shoppers.'

Connor veegde zijn handen aan een servetje af en leunde achterover, waarbij hij zijn gewicht op zijn armen achter zich liet rusten. Hij had alleen een los zittende pyjamabroek aan, waardoor ze een goed uitzicht op zijn ontblote bovenlichaam had. Zijn afgetrainde lichaam was in staat haar op te tillen alsof ze zo licht als een veertje was. Zijn indrukwekkende brede schouders stonden strakgespannen en zijn bovenarmen…

Het water liep haar in de mond. Lieve hemel, wat was hij verwoestend mooi. Er was niets gematigds aan hem. Niets verfijnds. Zelfs in rust, zoals nu, voelde ze een zekere alertheid in hem, een van binnen kolkende kracht waardoor hij altijd klaarstond om toe te slaan.

'Je staart naar me,' zei hij poeslief, en keek haar aan met zijn blauwe ogen, intens als een roofdier. Ze wist dat als ze hem ook maar het kleinste beetje zou aanmoedigen, hij haar binnen een minuut op haar rug zou hebben.

Ze rilde bij de gedachte.

'Weet ik,' antwoordde ze.

Hij trok een hoek van zijn schaamteloos wellustige mond omhoog in een halve glimlach. 'Dus, wil je soms zeggen dat ik geen goede romantische verhalenheld ben omdat ik geen beveiligingsapparatuur installeer?'

Hij was wel degelijk een goede held voor een romantisch verhaal. Vanbuiten tenminste. En in bed.

'Dat zei ik helemaal niet.' Stacey haalde haar schouders op en liet haar blik weer naar de televisie gaan. Het was een ware marteling om weg te kijken van die goudkleurige huid, maar ze deed het ook uit zelfbescherming. 'Ik zeg alleen maar dat ik niet zou denken dat mannen zoals jij en Aidan geïnteresseerd waren in het opsporen van oude spullen voor oude kerels met te veel geld. Ik zou denken dat het jullie zou vervelen na alle… opwinding van jullie vroegere werk.'

'De zwarte markt is anders niet zonder gevaar,' zei hij zachtjes. 'Als verschillende mensen uit zijn op hetzelfde, kan het soms onaangenaam worden. En als ze het maar graag genoeg willen, zelfs dodelijk.'

Ze keek hem even aan. 'Klinkt niet als een droombaan.'

Connor perste zijn lippen even op elkaar, en zei toen: 'In mijn familie gaan we allemaal bij het leger. Dat is een vast gegeven.'

'Echt waar?'

Lichtjes haalde hij zijn schouders op, waardoor zijn borstspieren prachtig uitkwamen. 'Echt waar.'

'Dus je hebt nooit iets anders willen doen?'

'Ik heb nooit iets anders overwogen.'

'Wat treurig, Connor.'

Ze schrokken allebei van de klank van zijn naam. Stacey merkte dat het hem wat deed, doordat hij snel met zijn ogen knipperde en een beetje verward keek. Wat haar betrof, zij wist dat haar gedachten over hem verre van vriendschappelijk waren. Ze waren obsceen. Ze wilde zijn verrukkelijk ogende huid likken en erin bijten. Zijn donkere, honingkleurige haar was een beetje te lang, krulde over zijn voorhoofd en om de puntjes van zijn oren. Ze wilde het aanraken, er met haar vingers doorheen woelen.

'Wat is jouw droom?' vroeg hij, en door zijn intieme toon raakte ze nog verder in zijn ban. Hij gebaarde met zijn kin naar de eettafel, waar haar belachelijk dure studieboeken op lagen te verstoffen. 'Werk je daar op het moment naartoe?'

Bijna zei ze 'ja', omdat ze bezig was om positiever te leren denken. In plaats daarvan onthulde ze iets wat ze zelfs Lyssa nog nooit had verteld. 'Eigenlijk wilde ik schrijver worden,' biechtte ze op.

Zichtbaar verrast trok hij twee wenkbrauwen op. 'Schrijver? Wat voor soort schrijver?'

Stacey voelde dat ze rood werd. 'Van romantische verhalen.'

'Écht?' Nu was het zijn beurt om geschokt te klinken. En hij deed het heel overtuigend.

'Yep.'

'Wat is ertussen gekomen?'

'Het leven.'

'Huh…' Hij ging rechtop zitten en bracht haar vingers tot bedaren, die rusteloos met een *fortune cookie* zaten te spelen. Zijn aanraking voelde warm en troostrijk. Zijn hand was zo groot, dat die van haar wel van een kabouter leek. De man was minstens twee keer zo groot als zij, en toch kon hij zo zachtaardig zijn. 'Dat is wel het laatste wat ik van jou had verwacht.'

'Weet ik.'

'Je bent zo praktisch aangelegd.'

'Was het maar waar.'

'Heb je je droom dan opgegeven?'

Ze keek naar hun lichamelijke connectie, zijn huid die zoveel donkerder dan de hare was, met op de knokkels een nauwelijks zichtbaar laagje goudblonde haartjes. 'Ja, natuurlijk. Het sloeg ook nergens op.'

Connor wist niet wat hij moest zeggen. Stacey schoof iets terzijde wat overduidelijk intens belangrijk voor haar was. Hij was geen Verzorger of Genezer, en hij was geen man die vaak met vrouwen sprak, tenminste niet als hij ze niet wilde verleiden. Als vrouwen hem opzochten, was dat meestal niet voor een goed gesprek. Het beste wat hij kon bedenken om haar te troosten was met zijn eeltige duim over haar zachte hand te strelen.

Het kuise contact wond hem op. Toen hij lager ging, langs het punt op haar pols waar haar hartslag te voelen was, verried haar snelle hartslag dat ook zij opgewonden raakte. Geen van beiden liet zich leiden door de aantrekkingskracht, ondanks hun steeds snellere ademhaling. Voor hem was het genoeg om te genieten van het zacht gonzende verlangen in zijn bloed.

Toen ging de telefoon en werd het moment verbroken.

Ze knipperde, alsof ze wakker werd, en kwam overeind. 'Aidan belde daarstraks toen je nog lag te slapen. Waarschijnlijk is hij het weer.'

Connor ging ook staan en liep achter haar aan de keuken in. Stacey pakte de telefoon en keek op de nummermelder. *Best Western Big Bear.* De spanning die in Staceys kleine lichaam ontstond was voelbaar.

Ze drukte op OPNEMEN en bracht de hoorn naar haar oor. 'Hai, schat.'

Hij legde zijn handen op haar smalle schouders en masseerde ze zachtjes, om de gespannen knoop in haar spieren los te maken.

'Maar dan moet je naar school,' begon ze, wat uitdraaide op een lang spervuur aan argumenten aan de andere kant van de lijn. 'Ja, ik weet dat het lang geleden is...' Ze haalde diep adem en slaakte toen een stille zucht. 'Goed dan. Je mag maandagavond thuiskomen.'

Door de hoorn heen was de opwinding te horen die

door Staceys capitulatie teweeg werd gebracht.

'Oké.' Ze deed dapper haar best om vrolijk te klinken. 'Fijn dat je het zo leuk hebt... Ik ook van jou. Trek iets warms aan. Doe die sjaal om die je met kerst van Lyssa hebt gekregen.' Ze wist een zwak lachje uit te brengen. 'Ja, wie had ooit gedacht dat je dat ding nog eens om zou doen? Natuurlijk... Maak je om mij geen zorgen; ik zit *The Mummy* te kijken... Ja, ja, minstens honderd keer... Nou en? Het is toch een goeie film! Oké... Welterusten... Ik hou van je.'

Ze hing op en liet in een moedeloos gebaar de arm waarin ze de hoorn hield omlaagvallen.

'Hé,' mompelde Connor en hij liet liefkozend zijn hand over haar arm naar de telefoon glijden. Hij trok hem uit haar gevoelloze vingers en legde hem op de ontbijtbar. 'Het komt goed. Hij komt snel terug.'

'Dat is nou precies het hele probleem,' zei ze, en draaide zich naar hem toe, alleen maar omdat hij haar schouders vastgreep en haar ertoe dwong. 'Ik weet niet of hij terugkomt, en zo wel, of hij dan bij mij blijft wonen.'

Hij keek neer op haar verdrietige gezicht met het roze neusje en de neerhangende mondhoeken. Hij legde zijn hand op haar wang en streek met zijn duim langs haar jukbeen.

'Hij is veertien,' zei ze bedroefd. 'Hij wil een vader; een voorbeeld, iemand van wie hij iets kan leren. Tommy woont in Hollywood, waar het barst van de glamour en altijd wel iets te beleven valt. Justin vindt het vreselijk hier in de Valley. Hij zegt dat het saai is, en voor kinderen van zijn leeftijd is dat ook zo. Ik ben naar Murrieta verhuisd omdat het daar destijds goedkoop was – ik kon er een huis kopen, wat handig was voor de belasting – en het was er rustig. Er is hier niet echt veel waardoor een puber in de problemen kan komen.'

'Zie je wel?' zei hij. 'Een praktisch aangelegde vrouw, dat zei ik toch.' Een dappere vrouw. Een sterke vrouw. Een vrouw die hij bewonderde.

Ze deed of ze glimlachte, en dat voelde als een stomp in zijn maag. Hij vond het afschuwelijk dat ze deed alsof, omwille van hem. Hij wilde haar helemaal, het echte werk. Connor Bruce, beter bekend als 'de man met wie je geen gevoelens deelt', wilde Staceys gevoelens leren kennen.

'Als Tommy besluit dat hij het fulltime vaderschap wil uitproberen,' vervolgde ze in tranen, 'dan vertrekt Justin. Tommy is net zo'n groot kind als Justin; die twee zouden samen de grootste lol hebben.'

Ze liet haar hoofd naar voren vallen, waardoor haar gezicht achter een grote bos krullen werd verstopt. 'En Tommy zou waarschijnlijk ook alimentatie van me eisen, om zijn leven makkelijker te maken. En al deed hij dat niet, dan nog zou ik geld aan ze overmaken. God mag weten waar ze anders van moeten eten. Eén maaltijd per dag op de filmset? Als Tommy al eens een keer een baantje heeft!'

Zachtjes snikte ze en Connor deed het enige wat hij kon

doen; hij nam haar kin in zijn hand en bracht haar mond omhoog om zijn kus te kunnen beantwoorden. Het was een lief, troostend gebaar, met alleen zijn lippen, geen tong. Hij nam niets van haar en bood troost op de enige manier die hij kende. 'Je loopt een beetje op de zaken vooruit, schatje,' mompelde hij, terwijl hij met zijn neus de hare liefkoosde.

'Sorry.' Stacey kuste hem terug, met kleine kusjes. Lieve kusjes. 'Ik ben vandaag echt een emotioneel wrak. Zal wel hormonaal zijn. Normaal gesproken ben ik echt niet zo.'

'Het is al goed.'

Verrassend genoeg was het dat ook.

Connor deed een kleine stap naar achteren, boog voorover, nam haar vast bij haar knieën en tilde haar op in zijn armen. Hij droeg haar de eetkamer uit en terug naar de woonkamer, waar hij met haar op schoot op de met dons gevulde bank ging zitten. Ze paste perfect op hem; met haar wulpse lichaam zat ze warmpjes tegen zijn blote huid aangenesteld. Hij stak haar hoofd onder zijn kin en wiegde haar.

Geven en nemen. De verbintenis waarnaar hij vlak daarvoor nog zo wanhopig op zoek was geweest, kwam nu weer zonder seks tot stand en werd toch ook versterkt door hun verwoede vrijpartij van daarstraks. Nu ze niet meer door dierlijke lust gehinderd werden, kwam er ruimte voor andere gevoelens, die werden begrepen en gedeeld.

'Dank je wel,' fluisterde ze vermoeid, en ze kroop nog dichter tegen hem aan.

Algauw merkte hij aan haar oppervlakkige, ritmische ademhaling dat ze in verbinding met de Schemering stond. Ze was in zijn thuis, waar hij zo graag wilde zijn. Ze droomde.

Hopelijk over hem.

Hoofdstuk 7

Met ongeduldige tred liep Connor door de met stenen inge-legde gang naar de hoofdgrot. Naarmate hij dichter bij de spelonk kwam, werd de lucht vochtiger dankzij de grote hoe-veelheid water die achter de rotsige rand lag te wachten. Er hing een schimmelige, mossige geur die hem deed terugver-langen naar zijn leven van een paar weken geleden. Een bo-vengronds leven, met vrouwen, bier en een verdomd goeie vechtpartij wanneer hij daar behoefte aan had.

En een in- en uitgang. Dat zou fijn zijn.

Hij zag niet bepaald uit naar de noodzakelijke duik in het ijskoude water van het meer. Het was haast een marteling om weer boven te komen als je longen door de kou bevangen waren. In tegenstelling tot al het andere in de Schemering kon het water in het meer niet puur door gedachten worden veranderd. Hoe graag je het ook wilde, hoeveel bevelen je ook gaf of hoezeer je ook hoopte, het water was en bleef ondraag-lijk.

Dus groette hij zijn mannen, checkte even of zijn zwaard stevig in de schede op zijn rug zat, en nam een duik.

Een heel stuk later kwam Connor bevroren en snakkend naar adem weer boven, en kroop hij hevig rillend de zande-

rige oever op. Zijn déjà-vu was zo verontrustend dat het hem totaal ontging dat hij niet alleen was – tot hij getackeld en naar achteren geslagen werd.

Een kleiner, peziger lichaam wikkelde zich om het zijne. Hij stiet een woedende brul uit, die weerkaatste tegen het wateroppervlak. Alle opgebouwde spanning werd ontladen. Connor draaide en worstelde met zijn belager, tot het moment waarop ze allebei in het meer vielen in een explosie van opspattend water. Hij greep zijn belager bij de kraag van zijn gewaad en sleurde hem de kant op.

'Wacht!' riep Sheron.

Connor trok zijn zwaard uit de schede. 'Dit riedeltje hebben we al eens eerder afgedraaid, oudje.'

'We hadden onze discussie nog niet afgerond.'

'Begin dan maar te praten, voor ik mijn laatste restje geduld verlies.'

De Oudste trok zijn doorweekte kap naar achteren. 'Weet je nog wat ik je vertelde over de stromingen die we in de Tempel hebben gevestigd?'

'Ja.'

'En dat de grot die jij hebt gevorderd de enige plek in de Schemering is waar de Nachtmerries niet in kunnen?'

'Ja.'

'Er zijn Nachtmerries in de stromingen in de Tempel binnengedrongen, Bruce, en die smelten samen met de Beschermer die op weg is, om één wezen te vormen.'

'Holy shit.' Connor verstevigde zijn greep om het zwaard

en er verschenen zweetdruppeltjes op zijn voorhoofd. 'Kunnen ze zelf reizen? Zijn de mensen in gevaar? Hebben we ze nu eindelijk helemaal genaaid door behalve hun dromen ook hun wereld te verzieken?'

'Voor zover we weten niet. In tegenstelling tot de stromingen in de grot gaan deze maar heel kort open, net lang genoeg om de sprong te maken. Daarna worden ze weer dichtgedaan.'

'Hoe bent u erachter gekomen wat er aan de hand was?'

'We zijn begonnen met er een wachter doorheen te sturen, snel heen en terug.'

Connor ijsbeerde.

'Na verloop van tijd werd duidelijk dat het met sommige wachters niet goed ging,' vervolgde Sheron. 'En eerst namen we aan dat het aan de locatie lag.'

'Het feit dat ze buiten de grot waren.'

'Ja. Toen begonnen ze te veranderen. Lichamelijk. Emotioneel. Geestelijk. Het leek voor hen ineens van groot belang om iedereen om hen heen bang en verdrietig te maken. Ze werden steeds gewelddadiger en wreder. Hun ogen veranderden van kleur. Ze aten niet meer.'

'O, man...'

'Toen beseften we wat er was gebeurd: ze werden overgenomen door de Nachtmerries die in hen zaten en die de Beschermers tot vreselijke wandaden aanspoorden, zodat zij op die negatieve emoties konden teren.'

Nadat de Nachtmerries door het scheurtje van de Oudsten

het menselijk onderbewuste hadden ontdekt, waren ze erachter gekomen dat de menselijke geest een prima voedingsbodem voor ze was. Angst, woede en ellende werden met groot gemak door dromen opgewekt, en de Nachtmerries konden zich er maar al te goed mee voeden.

Connor bracht zijn zwaard omlaag en liet een hand los om ermee over zijn kaak te wrijven. 'Hoeveel van die ondingen zitten daar?'

'Er zaten er twaalf in de eerste proef, maar slechts één aangetaste Beschermer wist te overleven, en die heb jij vandaag gedood.'

'Graag gedaan, trouwens,' snoof Connor.

Sheron maakte de riem van zijn schede los van zijn te dunne middel en goot het water eruit dat zich erin had verzameld. Toen stak hij zijn zwaard er weer in en liep naar een nabijgelegen rots. Achter hem lag een spoor van druppels.

'Wat wilt u nou precies zeggen?' Connor liep met zijn zwaard in zijn hand achter hem aan. Hij vertrouwde Sheron voor geen meter. Niet meer. Jammer, als je bedacht dat hij ooit voor hem door het vuur zou zijn gegaan.

'Wat ik je kwam vertellen.' De Oudste ging op een grote rots zitten en spreidde zijn doorweekte gewaad zo goed mogelijk uit. 'Voordat die symptomen van bezetenheid door Nachtmerries kwamen bovendrijven, vonden we de proef succesvol. We waren aan het testen op succesvolle retourtjes, niet op bijwerkingen. Er is nog een delegatie wachters en

Oudsten weggezonden voordat we doorhadden hoe omvangrijk het probleem was.'

Connor kreeg een harde knoop in zijn maag. 'Nou, haal ze dan terug, verdomme!'

'Dat kan niet. Toen we de fout eenmaal hadden ontdekt, waren de Beschermers al zo veranderd dat ze niet meer op hun schreden konden terugkeren. Ze waren niet langer degenen die ze waren bij hun vertrek. We konden alleen nog de onaangetaste individuen terughalen.'

'Wat hebt u in godsnaam gedaan? Hoeveel van die dingen lopen er daarbuiten rond?'

'Tien uit de groep konden niet meer terug. Sindsdien hebben we er nog twintig weggestuurd. Een gok. De zuivere individuen zullen de aangetaste opsporen en omleggen. Cross heeft vast al gemerkt dat er Beschermers naar hem op zoek zijn, maar hij weet niets over die hybriden.'

Vóór de opstand was Aidan kapitein geweest en Connor zijn luitenant. Samen hadden ze met volmaakte precisie de Elite geleid. Wat was het leven toen eenvoudig geweest. Nu was alles zo ingewikkeld.

'Waarom vertelt u me dit?' vroeg Connor argwanend.

'Ik ben niet uit op de dood van Cross.'

'Maar de Sleutel wilt u wel dood hebben,' merkte Connor op. 'En als u de sleutel wilt hebben zult u Cross moeten doden, dat kan ik u wel vertellen.'

'Dat regelen we wel als de tijd daar is.'

'Ik dacht het verdomme niet!' Als een raket lanceerde

Connor zichzelf; hij vloog door de lucht en klapte met zijn
schouder tegen de borstkas van De Oudste.

De Oudste zou een goede gijzelaar zijn...

Ze vielen om en rolden door het zand...

Snakkend naar adem schrok Connor wakker, waardoor de warme, welgevormde vrouw in zijn armen ook wakker werd.

'Hé.' Staceys stem was schor van de slaap. In het flauwe schijnsel van de televisie die op stil stond, zag hij dat ze haar hoofd naar hem toe draaide. Ze lagen op de bank, hij tegen de rug, zij tegen hem aan. 'Gaat het? Had je een nachtmerrie?'

Hij kwam overeind en klom voorzichtig over haar heen. 'Ja.'

'Zal ik wat thee voor je zetten?'

'Nee.' Hij boog zich voorover en kuste haar op haar voorhoofd. 'Slaap maar lekker verder. Ik bedenk opeens iets belangrijks, en dat moet ik even opschrijven voor ik het weer vergeet.'

Connor liep naar de ontbijtbar, deed de ingebouwde spotjes erboven aan en pakte het kladblok dat hij daar eerder had zien liggen. Toen trok hij een stoel onder de eetkamertafel vandaan, pakte het mechanische potlood bij Staceys studieboeken en keek rond naar een blanco stuk papier.

Terwijl hij door de liefdevol getekende schetsen van Aidan heen bladerde, kwam zijn hartslag tot rust. Hij begon dieper en regelmatiger adem te halen. De plaatjes van Aidan die voor hem lagen, waren niet van dezelfde Aidan met wie hij eeuwenlang samen had gevochten. De Aidan die Lyssa in gedetailleerde potloodlijntjes had vastgelegd leek een stuk jonger en gelukkiger. Zijn ogen stonden helder en de vermoeide rimpels waren minder zichtbaar.

Lange tijd bestudeerde Connor de beelden, en toen hoorde hij iets op de bank bewegen. Hij draaide zich om en zag Stacey op haar zij liggen, terwijl ze met trillende oogleden weer in slaap viel.

Hij glimlachte en merkte nogmaals hoe de door zijn dromen veroorzaakte kilte verdween, alleen maar dankzij haar aanwezigheid. Het was ongelofelijk wat de troost van een vrouw voor een man kon doen. Hij begreep nu waarom Aidans relatie met Lyssa zijn vriend zo wonderbaarlijk had veranderd.

Dat maakte Connor des te vastberadener om zijn missie tot een goed eind te brengen.

Hij was hier met een reden. Door zijn daden op dit bestaansniveau zouden de mensen om wie hij gaf veilig zijn. En hij kwam er de belofte mee na die hij lang geleden had gedaan: de Dromers beschermen tegen de misstappen van de Oudsten.

Hij richtte zich weer op zijn taak, bracht zijn aandacht terug naar het papier dat voor hem lag en probeerde alles op een rijtje te zetten.

Aidan kon zich de gesprekken die ze in zijn dromen hadden gehad niet meer herinneren. Er was voor Connor geen reden om aan te nemen dat zijn hoofd anders in elkaar stak, wat betekende dat hij de twee 'ontmoetingen' met Sheron zelf verzonnen had.

En toch, al wist hij hoe dromen werkten, hij kon maar moeilijk geloven dat het bizarre verhaal van Sheron een fabricaat van zijn eigen gedachten was. Dat soort shit bedacht hij niet. Hij was meer spieren dan brein.

Tenzij de Oudsten een manier hadden waar de Beschermers niks van afwisten... Of misschien was Wager er wel in geslaagd om meer informatie van de datachip af te halen?

Verward en lichtelijk ontdaan door de vele mogelijkheden – niet in de laatste plaats het idee dat wat hij had gedroomd misschien werkelijkheid was – begon Connor te schrijven.

* * *

Stacey werd wakker van het geluid van een opengaande deur en het verre zoemen van een garageopener. Ze was versuft en lag heerlijk comfortabel, en het duurde even voor ze weer wist waar ze was. Met haar vuisten wreef ze in haar vermoeide ogen, hees zichzelf een beetje omhoog en merkte dat ze omwikkeld was door een zware cocon van uit de kluiten gewassen, slaperige mannelijkheid.

Langzaam trad haar brein in werking, en stukje bij beetje

registreerde ze de zware armen en benen die om haar heen waren geslagen, de zachte lippen en warme adem die haar schouder streelde, de ochtenderectie die onophoudelijk tegen haar billen drukte. Ze lagen op de bank in de woonkamer, lepeltje lepeltje, met Connors kin op de bovenkant van haar hoofd, zijn forse lichaam half over het hare heen. Normaal gesproken had ze een deken nodig om het warm te hebben, maar zijn lichaamswarmte was net een elektrisch kacheltje tegen haar rug. Ondanks haar zijden pyjamahemdje met spaghettibandjes en bijpassend broekje, had ze het helemaal niet koud.

Knipperend keek Stacey door de eetkamer naar de keuken, waar ze twee gezichten, allebei even geschrokken, naar haar terug zag kijken. 'Eh…'

Doodsbenauwd dat Connor haar ochtendadem zou ruiken deed Stacey haar mond dicht en probeerde ze zich uit zijn omhelzing los te maken. Hij was ook aangekleed, natuurlijk, maar dat maakte de situatie er niet minder gênant op. Ze konden onmogelijk doen alsof er niets tussen hen was gebeurd.

Connors antwoord op haar gewriemel was een grommend gesputter en een grote hand om haar borst. Haar tepel, ongegeneerd blij met de aandacht, trok zich wulps samen in zijn hand, wat weer een inmiddels voorspelbare reactie van zijn pik uitlokte.

'Mmm…' zei hij zachtjes, en hij kroop dichter tegen haar aan, suggestief met zijn heupen tegen de hare aan duwend.

Aidan en Lyssa waren met stomheid geslagen.

Stacey kromp ineen en sloeg Connors hand weg. 'Stoppen!' siste ze. 'Ze zijn thuis.'

Ze merkte precies op welk moment de informatie binnenkwam. Hij verstijfde tegen haar aan en mompelde een nauwelijks hoorbare vloek. Toen stak hij zijn hoofd omhoog, keek over haar schouder en zei: 'Cross.'

'Bruce,' antwoordde Aidan afgemeten.

Stacey huiverde, rolde weg uit Connors inmiddels slappe omhelzing en landde onelegant op handen en knieën op de vloer, tussen de salontafel en de bank. Connor ging rechtop zitten. 'Wat zijn jullie vroeg terug,' zei ze met een gemaakte vrolijkheid, terwijl Connor opstond en haar met zich mee omhoogtrok. 'Hebben jullie een goeie reis gehad?' Gewoon doen alsof er geen vuiltje aan de lucht is, werkte meestal prima – tijdelijk tenminste.

'Ik ben met een dolk in mijn been gestoken,' mompelde Aidan.

'En ik heb geholpen een of ander gedrocht te begraven,' zei Lyssa huiverend.

Nu was het Staceys beurt om hen aan te staren. Haar blik viel op het dikke witte verband dat onder Aidans bijna knielange korte broek uit kwam.

'O mijn god,' zei ze en ze liep snel om de salontafel heen, voor ze zich bewust werd dat ze geen beha aan had. Ze werd rood en sloeg haar armen om haar bovenlichaam. Een seconde later werd de fleecedeken van Lyssa's bank om haar schouders gelegd. Dankbaar keek ze op naar Connor.

Hij wierp haar een norse glimlach toe. 'Ga maar naar boven om je om te kleden,' zei hij, terwijl hij over haar hoofd heen naar Aidan keek.

'Ik loop even mee,' zei Lyssa snel. 'Ik kan wel een douche gebruiken.'

Stacey keek naar haar baas en fronste haar wenkbrauwen bij het zien van de bleke huid en de donkere kringen onder haar bruine ogen. Sinds Aidan in haar leven was gekomen, had Lyssa er niet meer zo afgemat uitgezien.

'Prima, doc.' Stacey wachtte even op haar vriendin, en samen liepen ze naar de trap. Connor bleef waar hij was, rechtop en ongegeneerd, ondanks zijn naakte toestand. Hij bleef Aidan strak aankijken.

Nog voor Lyssa goed en wel op de overloop was aanbeland fluisterde ze: 'Ben je met hem naar béd geweest? Nú al?'

Stacey kromp ineen en zei: 'Hoe kom je daar nou bij?'

Wat door Lyssa met een opgetrokken wenkbrauw werd beantwoord.

'Goed dan, goed dan.' Stacey trok Lyssa de hoofdslaapkamer in en deed de deur dicht.

'Maar zo ben jij helemaal niet, Stace!'

'Dat klopt. Het… gebeurde gewoon.'

Lyssa plofte neer op de rand van het matras en keek de kamer rond. 'Waar is Justin?'

'Niet in deze kamer,' mompelde Stacey, terwijl ze met haar hand door haar verwilderde haardos ging. 's Ochtends zag ze er altijd vreselijk uit. Precies zoals ze wilde dat de knapste man die ze ooit had ontmoet haar zou zien, maar niet heus.

'Dat lijkt me duidelijk,' zei Lyssa droogjes.

Vroeger was de kamer in verschillende blauwtinten geverfd om Lyssa's nachtrust te bevorderen. Nu was hij helemaal in oriëntaalse stijl ingericht, met een enorm shoji-kamerscherm voor de glazen schuifdeur links van het bed en zwarte handdoeken met goud geborduurde kanji-karakters erop in de open badkamer rechts ervan. Op het bed lag een felrood satijnen drakendekbed, en het matras was met complex gesneden hout omlijst. Aan de muur hing een gelakt, uit meerdere panelen bestaand schilderij.

Het was een exotische en unieke slaapkamer, sensueel en verleidelijk, heel anders dan het zachte taupe waarin de rest van het appartement was geverfd, of het victoriaanse thema van de dierenkliniek. Voor ze Aidan ontmoet had, had Stacey zich haar vriendin nooit in zo'n omgeving kunnen voorstellen, maar het paste bij de vrouw die Lyssa nu was. Ze was dan wel hartstikke blank – en Lyssa was ondanks haar donkere, amandelvormige ogen zo ongeveer de perfecte Barbie – toch sprak de internationale sfeer van de kamer een avontuurlijke kant aan waar Stacey geen weet van had gehad.

'Tommy heeft een financieel meevallertje gehad,' zei Stacey. 'Hij heeft Justin gisteren opgehaald voor een weekendje in Big Bear.'

Lyssa knipperde met haar ogen. 'O, wow!'

'Ja, dat was precies ook mijn reactie.'

'Wanneer hebben die twee elkaar voor het laatst gezien?'

'Vijf jaar geleden.' Stacey liet zich in de stoel met houten leuning naast de deur vallen. 'En, hoe was jouw minivakantie?'

Hoofdschuddend zei Lyssa: 'O nee, zo gemakkelijk kom je niet van me af.'

'Hé, jij hebt de begrafenis van een gedrocht bijgewoond!' sputterde Stacey. 'Da's een stuk interessanter dan mijn seksleven.'

'Het was geen begrafenis; het was een doodgereden dier,' mompelde Lyssa, terwijl ze haar modderige witte gympen met haar tenen uittrok en languit op het voeteneinde van het bed ging liggen met haar hoofd op haar hand. 'We konden het daar niet laten liggen. Het was… enorm smerig.'

De afschuw in Lyssa's stem vervulde Stacey met ergernis. Je kon ook overdrijven.

'Ik weet dat je van dieren houdt en zo, doc, maar langs de weg parkeren om doodgereden dieren te begraven is gewoon vies.'

'Laten we jóúw vieze gedrag dan maar eens bespreken,' zei Lyssa met onverholen nieuwsgierigheid.

Stacey moest lachen. 'Het lijkt wel de middelbare school.'

'Ja, hè? Dus wat is er nou gebeurd?'

Met een geïrriteerde zucht gaf Stacey haar pogingen op het onderwerp te ontwijken. Ze legde uit wat ze zelf ook niet helemaal begreep.

'Man o man,' mompelde Aidan met een norse blik. 'Jouw nacht met Stacey zal mij nog duur komen te staan.'

Connor keek hem vastberaden aan en sloeg zijn armen over elkaar. Hij ging zich niet laten koeioneren over zijn privéleven. 'Sorry dat ik het zeg, Cross, maar met mijn seksleven heb jij helemaal niks te maken.'

Terwijl hij een binnensmondse vloek vrij baan gaf maakte Aidan een plekje vrij tussen Staceys studieboeken op de eettafel. Hij legde er een zwarte duffeltas op. 'Wel als de beste vriendin van Lyssa er deel van uitmaakt.'

'O? Hoe dat zo?'

Aidan wierp hem een priemende blik toe over zijn schouder. 'Dit is het scenario: jij zult Stacey op de een of andere manier kwaad zien te krijgen. Zij gaat haar beklag bij Lyssa doen, Lyssa komt haar beklag bij mij doen. Dan zeg ik: "Laat mij erbuiten." En dan zegt zij: "Jij slaapt op de bank."'

'Je trekt veel te snel conclusies.'

'Conclusies die op historische kennis zijn gebaseerd,' zei Aidan, terwijl hij zijn tas openritste en de inhoud er een voor een uit haalde. 'Daarom ben ik opgehouden om met jou te doubledaten, weet je nog? Een van ons verklootte het altijd en dan moesten we daar allebei voor boeten.'

'Dit is anders.'

'Ja, erger, ja. Lyssa en ik zijn voor de lange termijn samen, Lyssa heeft Stacey voor de lange termijn en Stacey heeft alle reden om geen man meer te vertrouwen. Ze valt op mannen zoals jij.'

'Wat wil je daarmee zeggen, lul?' gromde Connor.

'Lyssa heeft me verteld dat Stacey er een handje van heeft om mannen uit te kiezen die geen blijvertje zijn.' Aidan haalde een metalen beker uit de duffeltas en zette hem voorzichtig op tafel.

Op grond van de overduidelijke slijtage aan het ding nam Connor aan dat het een belangrijk voorwerp was. Hij kwam wat dichterbij om het beter te bekijken.

'Toen ik hier net was aangekomen,' vervolgde Aidan, terwijl hij zijn tas verder leegmaakte, 'was Stacey zo bezorgd om Lyssa dat ze haar een pepperspray leende. Ze zei dat ze die tegen mij moest gebruiken als bleek dat ik een alien of weirdo was.'

'Huh?' Connor pakte de beker en bestudeerde hem aandachtig. 'Wist ze dan dat jij buitenaards bent?'

'Nee.' Aidan hield een datachip omhoog en vroeg: 'Heb jij een lezer bij je?' Toen Connor ontkennend met zijn hoofd schudde, vloekte hij en liet hij de chip op het glimmend houten oppervlak vallen.

'Waarom had ze het dan over aliens?' Connor was in de war.

'Dat was een grapje. Stacey heeft een bizar gevoel voor humor.'

'O.' Connor grijnsde en zette de beker weer neer.

'Wat ik wil zeggen is dat ze Lyssa tegen mij heeft bewápend, omdat ze bang was dat ik haar misschien pijn zou doen. Ze is pittig.'

'Ja.' Dat was ze zeker. Dat wist Connor al. Hij wist ook dat ze zacht en kwetsbaar was. Daar had hij een glimp van opgevangen, onder die harde buitenkant. 'Dat vind ik ook zo leuk aan haar.'

Aidan gooide de lege duffeltas op een van de eetstoelen. 'Zo leuk zul je het anders niet vinden als ze je met die troep in de ogen spuit.'

Met één hand plat op het tafelblad boog Connor naar voren en zei: 'Ik word hier een beetje pissig van, Cross. Hoe weet jij zo verdomde zeker dat ik haar ga laten zitten?'

'Wanneer heb jij ooit interesse gehad om je met één vrouw te settelen?' zei Aidan. 'Ik ken je al eeuwen. Jij hebt nooit iets gewild wat meer om het lijf had dan een potje neuken.'

'Jij ook niet,' antwoordde Connor.

'Ik ben veranderd, zoals je ziet.'

'En kennelijk gaat mij dat – volgens jou – nooit gebeuren?'

'Waar heb je het over?' beet Aidan hem toe. 'Waarom maken we hier nou ruzie over? Laat haar gewoon met rust. Dat moet toch geen grote opgave voor je zijn. Het is niet alsof je om aandacht verlegen zit.'

'Bedankt voor je geweldige steun.' Snuivend pakte Connor het bundeltje kleren. 'Niet dat het jou ook maar iets aangaat, maar ik had graag wat meer tijd met Stacey doorgebracht om haar beter te leren kennen. Zíj heeft míj de deur gewezen. Maar maak je vooral niet druk om mijn gevoelens. Die heb ik toch niet.'

Als Connor niet in zo'n slecht humeur was geweest, had hij Aidans ongelovige blik misschien nog wel grappig gevonden. Maar hij voelde zich klote en dus was het helemaal niet grappig. Het was goed waardeloos. De hele situatie was waardeloos. 'Vergeet het maar, Cross,' zei hij grommend. 'Gedane zaken nemen geen keer, en het was al voorbij voor het begonnen was.'

'Mooi.' Aidan keek hoe hij het linnen openmaakte er een groezelige, modderige klodder uit haalde.

'Wat is dit?'

'Ik zou het niet weten. Laten we het maar eens schoonmaken.' Aidan schoof een van de stoelen naar zich toe, plofte er met een vermoeide zucht op neer en haalde de medische tape op het grote verband om zijn bovenbeen los.

Connor legde de klodder op tafel, volgde zijn voorbeeld en pakte een stoel voor zichzelf. 'Wat is er met je been gebeurd?'

'Een of ander geschift wijf, dat is ermee gebeurd.' Het katoen kwam van de beschadigde huid los, waardoor een samengetrokken roze litteken onder een rijtje perfecte hechtingen zichtbaar werd. Aidans blik ging omhoog en kruiste die van Connor. 'Ze was er een van ons, geloof ik. Ze droeg Elitelaarzen en…' Aidan wuifde naar de berg spullen op tafel. '…dit was allemaal van haar.'

'Een geschift wijf, zeg je?' Connor kreunde, woelde met zijn handen door zijn haar en liet zijn vingers achter in zijn nek samenkomen. 'Had ze soms angstaanjagende ogen en moest ze nodig naar de tandarts?'

Aidan viel stil. 'Dus dáárom ben je hier.'

'Yep.'

'Ze had vlijmscherpe tanden en pikzwarte ogen. Totaal geen oogwit. Hoe is dat in godsnaam mogelijk?'

'Volgens de dromen die ik de laatste tijd heb is dit wat er gebeurt als de Oudsten het verknallen.'

'Drómen?'

'Ik weet het.' Connor slaakte een diepe zucht. 'Ik weet niet of mijn verbeelding gewoon slimmer is dan ik altijd dacht of dat er iemand vanuit de Schemering met me communiceert. In elk geval heb ik twee bijna-identieke dromen gehad. In beide treft Sheron me bij het meer en vertelt hij me dat de Oudsten de stromingen van Mediums vanuit de grot in de Tempel hebben geprobeerd na te maken, en dat er Nachtmerries de stromingen zijn binnengedrongen en zijn samengesmolten met de Beschermers die de reis maakten, waardoor die "geschifte" dingen zijn ontstaan. Hij noemde ze "hybriden".'

Grommend wreef Aidan in zijn nek. 'We moeten weten of dat waar is of niet.'

'O, echt.' Met opgetrokken wenkbrauwen vroeg Connor: 'Je hebt haar toch wel gedood, hè?'

'Ja.'

'Mooi. Dat is er alvast eentje minder.'

'Fuck.' Aidan balde zijn hand tot een vuist, en maakte een prop van het verband. 'Hoeveel zijn er?'

'Sheron zei dat ze de eerste keer tien Beschermers hebben weggezonden en de tweede keer twintig. Er is geen peil op te trekken hoeveel er zijn aangetast. Als ik terugdenk aan de spelletjes die hij tijdens de training op de Academie altijd speelde, neem ik aan dat ze er meer hebben weggezonden en dat hij het werkelijke aantal voor zich houdt.'

'Dat denk ik ook.' Aidan stond op, liep naar de keuken en gooide het afval in de vuilnisbak. 'Ik moet koffie hebben,' mompelde hij. 'Lyssa en ik hebben al twee dagen niet geslapen. Ik zag die roodharige vrouw gisteren en sindsdien zijn we non-stop op de vlucht geweest.'

'Róód haar?' Rood haar was bij hun soort geen natuurlijke kleur. Spierwit... verschillende tinten blond en bruin... haar zo zwart dat het vloeibaar leek, dat wel. Maar rood, in wat voor tint dan ook, was onmogelijk.

'Ja. Daar werd mijn aandacht door getrokken. Fluorescerend rood. Niet te missen. Ik raakte erdoor in verwarring, omdat geen enkele Elitestrijder ooit moedwillig de aandacht op zichzelf zou vestigen.' Aidan haalde een zak koffiebonen uit de vriezer en gooide hem op het aanrecht. 'Inmiddels denk ik dat ze ertoe werd aangezet door de behoefte van de Nachtmerrie om zich te voeden. Net zoals je een lap voor een stier houdt om hem zo dichtbij te lokken dat je hem kunt doden.'

'Áls we al waarde aan mijn dromen willen hechten.'

Aidan trok een gezicht. 'Misschien slaat het nergens op, maar wat hebben we verder om mee aan de slag te gaan?'

Connor keek hoe zijn vriend kalm en doelgericht de kleine keuken door liep, wat bekers uit de afwasmachine haalde en het koffiezetapparaat met water vulde.

'Je ziet er gelukkig uit,' merkte hij op. Aidan bewoog losjes en soepel en had een relaxte glimlach die hij in geen eeuwen bij hem had gezien. Sterker nog, die innerlijke rust was er zo lang niet geweest, dat Connor was vergeten dat Aidan die ooit had gehad.

'Dat ben ik ook,' zei Aidan.

'Heb je nooit heimwee dan?'

'Aan de lopende band.'

Connor schrok van het vlugge antwoord. 'Dat is je niet aan te zien. Je lijkt wel eeuwen jonger geworden.' De zilvergrijze lokken boven Aidans slapen waren bijna verdwenen. Ze vielen nu haast niet meer op, tenzij je er echt naar zocht.

'Je bent in mijn hoofd geweest. Je weet wel waarom.'

'Ja.' Connor wist waarom. Toen hij zich met Aidans onderbewuste had vermengd, had hij Aidans bestaan in volle actie meegemaakt. Hij had gevoeld hoe Aidan zich voelde als Lyssa bij hem was, de emoties gevoeld die ze met een enkele aanraking of liefdevolle blik in hem wakker maakte, de diepte van Aidans verlangen gevoeld als Lyssa vol woeste, vurige overgave de liefde met hem bedreef. Hun verbintenis was griezelig intiem. De paar keer dat Connor Aidan in zijn droom had ontmoet, voelde het delen van die herinneringen alsof hij verboden terrein betrad.

'Je vindt het hier vast verschrikkelijk,' zei Aidan, terwijl hij hem van achter het ontbijtbarretje aankeek. 'Maar ik ben blij dat je er bent. Als jij er bent heb ik minder reden tot heimwee. Daarbij besef ik nu dat ik hulp nodig heb, en er is niemand die ik meer vertrouw dan jou.'

Connor keek weg, omdat hij niet goed wist wat hij daarop moest zeggen. Aidan voelde als zijn broer, maar hij wist niet hoe hij dat onder woorden moest brengen. 'Je weet dat ik altijd op zoek ben naar een excuus om flink tekeer te gaan,' zei hij nors. 'Wager is de man die je voor de technische kant van de zaak moet hebben. Ik ben de spierbundel. Altijd al geweest. Ik geloof echt niet dat ik meer voor je kan betekenen.'

Je onderschat jezelf.' Aidan glimlachte met een gemak dat Connor sinds hun tijd op de Academie niet meer bij hem had gezien. In een kaki bermuda en knalblauw T-shirt leek hij net een mens. 'Jij bent de grootste en dapperste kerel die ik ken, maar je bent ook intuïtief en…'

'Ach, hou toch op. Je brengt me in verlegenheid.' Door Aidans complimenten voelde Connor een warmte die maar door weinig dingen kon worden opgewekt. Hij had bewondering voor zijn beste vriend en bevelvoerend officier, altijd al gehad. Aidan was een geboren leider, een rots in de branding.

'Dat weet ik. Je bent rood.'

'Eikel.'

Aidan moest lachen.

Vlug veranderde Connor van onderwerp. 'We hebben in de Tempel ingebroken en zo veel mogelijk gedownload, voor we door een van die Nachtmerrie-afwijkingen werden aangevallen.'

'Hebben jullie iets bruikbaars gevonden?' vroeg Aidan waakzaam.

'Wager is nog steeds aan het spitten, maar hij is er al wel achter dat de Oudsten in opleiding in de buizen een soort batterijen zijn.'

'Batterijen? Als in energiebronnen?'

'Precies. De binnenkant van die buizen is met energie gevuld. Zo blijven die mannen zonder eten en water in leven. We dachten steeds dat die buizen hun energie ergens vandaan haalden, maar het omgekeerde is het geval. Die buizen verschaffen juist ergens anders energie aan. We weten alleen nog niet waaraan.'

Aidan keek bedenkelijk. 'Dat moet kunnen, denk ik. Wij bestaan dankzij cellulaire energie. Daar maken de buizen waarschijnlijk gebruik van.'

'Dat zei Wager ook al. Er zijn duizenden van die buizen, dus of ze geven heel weinig energie af – en waarom zouden we ze in dat geval gebruiken? – of hetgeen waar ze aan vastgekoppeld zitten, verbruikt enorm veel energie.'

Verstijfd bleef Aidan staan. 'Hoe hebben ze dit allemaal zo lang verborgen weten te houden?'

'Het kon doordat wij dat toestonden.' Connor kwam uit zijn stoel overeind en rekte zich uit. 'Beschermers zoals ik die het te druk hadden met doelloos door het leven gaan om zich daarmee bezig te houden. Ik voel me zo stom. Blind, koppig en stom.'

'Je vertrouwde degenen die hadden gezworen ons te beschermen, dat is niks om je voor te schamen.'

'Dat vind jij misschien,' zei Connor spottend. 'Ik ben een sukkel. Maar jij zult je wel van blaam gezuiverd voelen. Jij had gelijk.'

'Ik voel me niet van blaam gezuiverd,' zei Aidan vermoeid, terwijl hij vragend een lege beker omhoogstak. 'Eerder misselijk van woede.'

Connor sloeg hoofdschuddend het aanbod voor koffie af. 'En wat nu? Waar moeten we in vredesnaam mee beginnen?'

'Met wat we hebben.' Aidan vulde twee bekers, voegde melk en zoetjes toe aan de ene voor hij de andere, zwart, leegdronk. Hij liet een schone kop bij de koffiepot staan voor Stacey, en toen Connor dat zag, gebeurde er iets vreemds met hem; hij werd overvallen door de plotselinge aandrang te weten hoe ze haar koffie dronk. Zo'n onbelangrijk detail, en toch hechtte hij er belang aan. Hij keek bedenkelijk.

'Ooit dacht ik dat ik Oudste Rachel op een veiling zag,' vervolgde Aidan, achteroverleunend tegen de rand van het aanrecht met beide handen om zijn groene megabeker van het Rainforest Café. 'Ik weet niet zeker hoelang geleden ze de Elite heeft verlaten om Oudste te worden, maar de gelijkenis was niet normaal, en ik kan niemand bedenken die hier liever heen zou wíllen komen.'

Connor zag een beeld van een zwartharige Beschermer voor zich. 'Die herinnering heb ik gezien toen ik in je droom bij je langskwam. We bespraken wat voor een uitmuntende strijder ze was. Ik geloof dat ik ooit wel eens met haar in de Doorgang heb gevochten. Een van de ruigste wijven die ik ooit heb gezien. Gek op vechten.'

Alle Beschermers die bij de Elite wilden, moesten een maand lang in de Doorgang vechten, bij wijze van inwijding voor de meest extreme ontberingen van hun werk. De overgrote meerderheid van de beginnelingen kreeg het niet voor elkaar om het ook maar een fractie van de vereiste tijd vol te houden. Het was maar een maand, slechts een druppel in de eindeloze waterput van tijd in hun leven, maar in de Doorgang leek die zich tot een eeuwigheid uit te strekken.

Want de Doorgang was een hel. Deze plek zagen sommige Dromers als ze op het randje van de dood stonden. Ze dachten dat hij geregeerd werd door een man met rode huid met een gevorkte staart en hoorntjes op zijn hoofd. Het liefst negeerden en vergaten alle Beschermers dat de

Doorgang bestond, maar dat was onmogelijk. Hier was de toegang tot de Schemering, een opening die de Oudsten hadden gecreëerd om hun een plek te bieden waar ze zich voor de Nachtmerries konden verstoppen. Maar hun toevluchtsoord was ontdekt en nu werden ze aan de lopende band aangevallen.

De enorme deur naar de Buitenwereld stond bol van alle pogingen om Nachtmerries te weren. Aan de strookjes rood licht om de stijl heen kon je zien hoe de poort bijna uit zijn voegen barstte. Door die piepkleine scheurtjes stroomden zwarte schaduwen als water naar binnen. Ze tastten de Schemering rondom de Doorgang aan tot er zich lavaspugende etterbuilen op de grond vormden. Daar vochten duizenden Elitestrijders een eindeloze strijd uit, met flitsende zwaarden die de Nachtmerries bij bosjes neermaaiden. Het was een moeilijke taak. Geen Beschermer die ze allemaal op een rijtje had wilde hier langer werken dan absoluut nodig was.

Behalve Rachel.

Zij had het een maand volgehouden en toen beweerd dat ze er nog wel een maandje bij kon hebben.

'Ja. Ruig, ja,' zei Aidan instemmend. 'En daarbij heeft ze een fikse voorsprong. Zij weet wat er verdomme aan de hand is. Ik niet. Ze heeft één missie. Mijn aandacht is verdeeld. Ik moet ervoor zorgen dat Lyssa veilig is, aankopen voor McDougal regelen en de artefacten opsporen. En nu we ons ook nog druk om die... díngen... moeten maken, is het uitgesloten dat jij en ik dat alleen kunnen opknappen. Wij met ons tweeën tegen een wijdvertakte groep freaks? Dan kan ik net zo goed nu al het bijltje erbij neergooien, Lyssa met me meenemen, en me ergens op een onbewoond eiland terugtrekken tot de hele zaak in de lucht vliegt. Een beetje rust meepikken nu het nog kan.'

'Shit.' Connor zuchtte. 'Je hebt gelijk. We moeten versterking hebben, maar god mag weten wie we zover kunnen krijgen om hierheen te komen. De mannen onder mijn bevel hebben echt wel hart voor de zaak, maar...'

'Maar dit is een hoop gevraagd.'

'Ja. Inderdaad. Voor de meesten van ons is de Schemering het enige thuis dat we ooit hebben gekend. Er zijn er niet meer zo veel die zich de Oude Wereld nog herinneren. Van hen vragen om alles hiervoor achter te laten...' Hij maakte een maaiende beweging met zijn arm. '...is nogal wat.'

'Het is zwaar klote, maar hebben we een keus?' Aidan wreef met een hand over de ochtendstoppels op zijn kaak. 'De roodharige had de *taza* waar ik naar op zoek was, dus ze sporen de artefacten op. Ik moet McDougal tevreden houden, want hij betaalt de rekeningen. We hebben iemand nodig die de artefacten najaagt terwijl ik aan het werk ben, en nog een groep om op de hybriden te jagen. Het ding dat mij aanviel was krankzinnig. Een van hen zal worden gevangen of gedood, en dan weten de Dromers dat ze niet alleen in het Universum zijn.'

'En iedereen om wie je geeft loopt ook gevaar, en moet beschermd worden. De Oudsten zullen alles in het werk stellen om macht te krijgen. Jij denkt dat ik Stacey uit verveling aan de kant zal zetten. Terwijl ik juist bij haar weg zou moeten blijven omdat het haar haar leven kan kosten om bij mij te zijn.'

Met samengeknepen ogen bestudeerde Aidan hem nauwkeurig.

'Maar er is een probleem,' vervolgde Connor, te ongeduldig om te proberen gevoelens uit te leggen die hij zelf niet eens begreep. 'Er zijn kosten verbonden aan het retourtje. Bij terugkeer wordt het Medium vernietigd.'

Aidan verstijfde. 'Vernietigd?'

'Gedood. Vermoord. Game over.'

'Fuck.'

'Zeg dat wel. Dus we kunnen niet echt een tijdelijke aanstelling aanbieden.'

Er viel een lange stilte, en toen zei Aidan: 'Dank je wel.'

De drie woorden werden met zoveel gevoel uitgesproken dat Connor erdoor van zijn stuk werd gebracht. 'Waarvoor?'

'Voor het feit dat je huis en haard voor mij hebt achtergelaten. Shit…'

Aidan kreeg rode ogen en Connor raakte in paniek. 'Hé! Rustig aan, man. Het is geen punt.'

'Jawel, dat is het wel. Het is geweldig. Ik weet niet wat ik moet zeggen.'

'Zeg maar niks,' zei Connor vlug.

Lyssa kwam binnen uit de woonkamer en Connor kon haar wel zoenen van opluchting. 'Ehm... koffie,' mompelde ze. Haar haar zat in een vochtige paardenstaart, ze had schone kleren aan en rook naar appeltjes. Ze droeg een roze velours joggingpak en zag er fris en beeldschoon uit. Ze pakte de kop die Aidan voor haar had klaargezet en ging op haar tenen staan om hem een kus op zijn mond te geven. 'Dank je, schatje,' fluisterde ze.

Connor, die zijn kans schoon zag, sloop weg om zich om te kleden en zich voor te bereiden op de gigantische taak die op hem wachtte.

Hoofdstuk 8

Nooit had Michael Sheron, een man die was geprezen om zijn eergevoel, kunnen voorzien dat het einde van zijn leven vol leugens en verraad zou komen te zitten. De schimmige wezens die Nachtmerries werden genoemd stelden niets voor in vergelijking met de nachtmerrie van misleiding waar hij dagelijks mee te maken had.

Terwijl hij door de lucht vloog en de afstand overbrugde tussen het hoofdkwartier van de rebellen en de Tempel van de Oudsten, deed hij zich tegoed aan de schoonheid van het landschap dat onder hem door trok. Glooiende, met gras bedekte heuvels. Rijkelijk begroeide valleien met bulderende rivieren. Schitterende watervallen.

Allemaal een zorgvuldig opgebouwde façade om gevoelens van onvrede mee af te wenden.

Het stemde hem droevig dat hij nu minachting voelde voor het paradijs dat hij met zoveel inzet in stand had gehouden, maar de perfectie van hun omgeving was even vluchtig als de dromen die door zijn mensen werden bewaakt. Onder al die schone schijn lag een basis die stevig in onwaarheden was verankerd. Maar dat wisten alleen de Oudsten en de rebellen. De meerderheid van de Beschermers was hier heel gelukkig en zou dat ook blijven, op voorwaarde dat er niets bekend zou worden over de opstand.

Dat bedrog in stand houden was zijn belangrijkste taak, al werd het met de dag moeilijker. Kapitein Aidan Cross was een legendarisch strijder; alleen al door zijn aanwezigheid voelden de andere Beschermers zich veilig en beschut. Door de verdwijning van Cross begon er buitensporig veel gespeculeerd te worden en het verlies van Bruce zou het probleem alleen nog maar verergeren.

Zij waren de twee meest zichtbare en gewaardeerde leden van de Elitestrijders, en al hun leven lang elkaars beste vriend. De Beschermers zouden niet snappen waarom twee mannen die zo ongelooflijk loyaal aan hun volk waren hen ooit zo bruut zouden verraden. Door hun desertie zou men zich gaan afvragen waar ze nou zo gedesillusioneerd over waren en Michael had geen zin om hen tot slechterik te bombarderen. Het leek hem het handigst om de goede reputatie van beide mannen te bewaren. Heldenverering was een krachtige emotie, en zou in de toekomst nog weleens van pas kunnen komen. Het wemelde in de geschiedenis van de verhalen over grote daden die waren volbracht door aan een geliefd figuur te denken.

De glanzend witte Tempel kwam in zicht. Michael vertraagde zijn zweefvlucht, bracht zichzelf langzaam in een verticale positie en landde zachtjes op zijn voeten. Hij nam even de tijd om de kap omhoog te trekken die door alle

Oudsten werd gebruikt om hun uitgemergelde gezicht mee te bedekken. Ooit was hij een mooie man geweest. Eeuwen geleden. Maar het verlies van zijn lichamelijke schoonheid was een kleine prijs om zijn doelen te bereiken.

Uiterlijk voorbereid stapte Michael door de enorme rode *torii*-poort die de Oudsten als motivator gebruikten. Door de waarschuwing die er in de oeroude taal stond ingegraveerd – HOED U VOOR DE SLEUTEL DIE OP HET SLOT PAST – hadden de Beschermers een doel en hoop gekregen. Beide dingen waren van belang om geestelijk gezond te blijven. Als hij de coup geheim kon houden, zou de boodschap zijn doel kunnen blijven dienen.

Terwijl hij de open binnenplaats overstak liet hij een spoor van druppels na. Zijn gewaad was nog doorweekt van zijn confrontatie met Bruce en voorlopig zou het maar even nat moeten blijven. Hij werd verwacht, en stiptheid was de beste manier om ongewenste belangstelling af te weren.

Omdat hij wist dat hij door camera's in de gaten werd gehouden, liep Michael op zijn dooie akkertje verder. Bij de *chôzuya* bleef hij staan. Hij doopte de klaarliggende lepel in de fontein, spoelde zijn mond en waste zijn handen, terwijl hij zijn blik door de omgeving liet gaan, een plek die de meeste Beschermers troost bood maar voor hem als een gevangenis aanvoelde.

Hij slaakte een zucht en maakte zijn gedachten leeg, omdat hij wist dat hij een zelfbewust en licht arrogant voorkomen nodig had om de op handen zijnde audiëntie door te komen. Hij had de ontmoeting met Bruce voorgesteld, maar de gebeurtenissen die hij in die discussie in beweging had gezet had hij helemaal zelf uitgedacht. Het was een ingewikkelde dans waar hij aan meedeed, en door de kleinste misstap zou alles spaak lopen.

Michael stak de binnenplaats over en ging de *haiden* binnen, waar de andere Oudsten hem zaten op te wachten. Zijn kameraden. Zo noemden ze zichzelf tenminste. In werkelijkheid zaten er maar weinigen tussen die hetzelfde doel voor ogen hadden als hij.

Eenmaal binnen werd hij overspoeld door koelheid; de ronde muren van de ruimte stonden verborgen in de schaduw, dankzij de lamp waardoor alleen het midden van de ruimte werd verlicht. In die lichtstraal bleef hij staan en onmiddellijk werd het licht gedimd, waardoor de figuren met capuchons in halfronde rijen voor hem zichtbaar werden.

'Heeft Kapitein Bruce contact gelegd met Cross en de Sleutel, Oudste Sheron?'

'Als hij dat nog niet heeft gedaan, zal dat spoedig gebeuren.'

Op de banken boven hem brak een geroezemoes van tientallen gesprekken los. Michael wachtte geduldig, met zijn benen breed en zijn handen ineengevouwen op zijn rug. Met een knikje van zijn hoofd gooide hij zijn kap naar achteren om de anderen nog beter van zijn oprechtheid te kunnen overtuigen. Niemand kon zo goed oprechtheid faken als hij.

'Wat stelt u voor dat we doen, nu Bruce de Schemering uit is?'

'We zouden een Oudste moeten sturen om het team te leiden dat de artefacten terughaalt.'

Er laaide opnieuw een discussie op; honderden stemmen probeerden boven het kabaal uit te komen.

'Sheron.'

Bij het horen van de vrouwenstem glimlachte hij vanbinnen. 'Ja, Oudste Rachel?'

'Wie zou u namens ons willen sturen?'

'Wie zou uw voorkeur hebben?'

Rachel ging staan, trok haar capuchon naar achteren om pikzwarte manen en knalgroene ogen te onthullen. 'Ik ga wel. En zal leiden.'

'U was precies degene die ik in gedachten had,' teemde hij.

Oudste Rachel was een Oudste met uitzonderlijke vaardigheden en een zeldzaam talent voor leiderschap, in de categorie van Cross en Bruce. Haar uiterlijk hielp ook mee. Alleen de vrouwelijke Oudsten behielden hun jeugdige aantrekkelijkheid. Zij zou een stuk minder opvallen dan de mannen.

'Kapitein Cross zal niet zo gauw met een vrouwelijke tegenstander in gevecht willen gaan,' zei hij. 'Dat is een voordeel dat we goed kunnen benutten.'

'En Bruce?' vroeg iemand. 'Ik begrijp nog steeds niet hoe zijn aanwezigheid in de sterfelijke sfeer ons op enige manier kan helpen.'

'In hun eentje zijn ze niet veranderbaar. Samen zijn ze dat wel. Ze leunen op elkaar. Ze hebben meer te verliezen als ze weten dat hun daden invloed op de ander hebben. Ze zullen zich steviger op het sterfelijke niveau wortelen. Ze zullen zich verder wagen, meer ervaren, grotere risico's nemen dan ze los van elkaar zouden doen.'

'Maar dat gaat veel te lang duren!' klaagde iemand.

Michael slaakte een onhoorbare zucht. 'Als we willen dat de Dromer een door een Beschermer verwekt kind zal baren, moeten we hun de tijd geven. Hun leven kan nu nog alle kanten op. Voordat ze zich zeker genoeg voelen over hun toekomst samen, zullen ze geen zwangerschap riskeren. Los daarvan kan de zwangerschapstijd van een mens niet worden veranderd.'

'Maar ze is anders dan andere mensen.'

'Wat des te meer vragen oproept,' betoogde hij. 'We moeten dit niet overhaasten. We moeten geduld hebben en de puzzelstukjes de tijd geven om op hun plek te vallen.'

Er volgde een discussie die uren aanhield. Zo ging het altijd. De Beschermersgemeenschap was van nature tegen verandering gekant. Michael had het altijd een gelukkig toeval gevonden dat ze onsterfelijk waren. Anders hadden ze nooit lang genoeg geleefd om ook maar iets voor elkaar te krijgen.

Maar uiteindelijk kreeg hij zijn zin.

'Oudste Rachel, begint u aan de voorbereidingen?' vroeg een Oudste. 'Het zal niet makkelijk zijn om in de menselijke wereld te acclimatiseren, en Kapitein Cross zal u op de proef stellen.'

Haar wellustige mond lachte, maar de harde groene ogen deden niet mee. 'Ik zorg dat ik er klaar voor ben.'

'Goed, dan is het bij dezen besloten,' zei de Oudste namens de hele groep. 'We gaan door naar het volgende hoofdstuk.'

* * *

Stacey ritste haar koffer dicht en wierp nog een laatste blik op Lyssa's logeerkamer om zeker te weten dat ze niets had laten liggen.

Het zou beroerd zijn om in een leeg huis thuis te komen, maar ze had geen reden om te blijven, en daar had ze ook echt geen zin in. Het zou te vreemd worden nu Lyssa en Aidan wisten dat er iets tussen haar en Connor was gebeurd. En trouwens, Connor zat hier voor zijn werk. Als ze bedacht hoe buitengewoon serieus Aidan zijn antieke spullen nam, zouden ze waarschijnlijk wel meteen willen beginnen. En zij had ook nog van alles te doen, dus...

Ze sloeg een hengsel van haar rugtas om haar schouder en ging naar beneden.

Tot haar verbazing trof ze Connor alleen aan. Hij zat aan

de eettafel voorzichtig een of ander modderig object schoon te maken. Een superstrak zwart T-shirt spande om zijn brede schouders en zijn lange benen staken in een loszittende verwassen spijkerbroek.

'Hoi,' zei ze, terwijl ze langs hem heen liep om haar tas van de ontbijtbar te pakken. 'Waar zijn Aidan en Lyssa?'

'Die zijn gaan slapen. Ze hebben de hele nacht doorgereden en zijn kapot.'

Stacey draaide zich naar hem toe. Hij keek haar aan met die helderblauwe ogen waar zoveel wijsheid in leek te zitten. Alsof hij al veel meer had gezien en gedaan dan mogelijk was voor een man van zijn leeftijd. Hij kon niet ouder dan vijfendertig zijn, vermoedde ze, maar hij had het uithoudingsvermogen en de energie van een man nog niet half zo oud, iets wat ze uit eerste hand wist.

Ze schudde haar hoofd. 'Ik had gehoopt dat ze even iets leuks aan het doen waren. Ze werken veel te hard allebei.'

'Waar ga je heen?' vroeg hij zacht, met zijn blik op haar babyroze met zwarte Roxy-rugtas. Zoiets extravagants zou ze nooit voor zichzelf hebben gekocht. Een rugtas van vijf dollar uit de supermarkt volstond voor haar. Maar Lyssa had haar ernaar zien kijken in de winkel en had hem haar cadeau gedaan. Om die reden was het een van haar favoriete 'luxe'-items.

'Naar huis. Ik heb nog van alles te doen.'

'Zoals?'

'Gewoon, van alles. Het huis moet nodig worden gepoetst. Daar kom ik maar zelden aan toe als Justin er is. En het trappetje van mijn veranda is doorgerot. Mijn buurman zei dat hij er wel even naar wilde kijken, dus ik ga even vragen of het hem vandaag uitkomt.'

Connor zette het ding in zijn handen neer en schoof weg van de tafel in een gevaarlijk zwierige beweging. Want hij mocht dan groot zijn, hij bewoog zich als een panter: gestroomlijnd en sluipend. 'Dat kan ik ook voor je maken.'

Stacey keek knipperend met haar ogen naar hem op, met haar hoofd een beetje naar achteren vanwege zijn lengte. 'Waarom?'

'Waarom zou hij het voor je maken?' pareerde hij.

Stacey fronste haar wenkbrauwen. 'Omdat het een aardige vent is.'

'Ik ben ook een aardige vent.'

'Jij hebt het druk.' En bent adembenemend. Lieve hemel, wat was hij verrukkelijk. Zwart was absoluut zijn kleur. Dat had ze gisteren al opgemerkt toen hij op de stoep stond. Het liet zijn goudkleurige huid en haar tot in perfectie uitkomen. De net iets te lange lokken, het t-shirt, de spijkerbroek en de zwarte soldatenkisten vormden een bedwelmende bad boy-combinatie. Toen ze hem in gedachten bij haar thuis zag rondlopen, werd ze helemaal draaierig.

'Ik moet een strategie bepalen,' zei hij. 'Dat kan overal.'

'Een trappetje repareren is hartstikke saai.'

'Daar denkt jouw buurman heel anders over.'

'Hij is dol op mijn zelfgemaakte appeltaart.'

Connor sloeg zijn armen over elkaar. 'Ik ben ook dol op appeltaart.'

'Het is echt geen goed idee...'

'Tuurlijk wel,' hield hij vol met een vastberaden blik, wat ze ontwapenend vond. 'Ik ben heel goed in stoepjes maken.'

Ze zou nee moeten zeggen. Echt. Ze wist waar hij op hoopte: dat ze na een vlotte reparatie zin in seks zou hebben. Het probleem was dat ze vreesde dat zijn hoop misschien gerechtvaardigd was. Onder de douche had ze zich al afgevraagd hoe het zou zijn om de liefde met hem te bedrijven zonder zich te hoeven haasten. Gevaarlijke gedachten.

'Ik denk dat we nu maar beter afscheid kunnen nemen,' zei ze.

'Bangerik.'

Haar mond viel open. 'Pardon?'

'Naanananaana, Stacey is een bangerik.'

'O mijn god,' mompelde ze. 'Wat ontzettend kinderachtig.'

'Kan me niet schelen. Je bent gewoon bang om me mee te nemen omdat je me veel te leuk vindt.'

'Helemaal niet.'

'Liegbeest.'

Ze stak haar handen in haar zij en vroeg: 'Waarom gedragen alle mannen zich als een baby als ze hun zin niet krijgen?'

Hij stak zijn tong naar haar uit.

Stacey beet op haar onderlip en keek snel de andere kant op. Hij moest lachen, een bulderende lach van puur plezier. Ze stikte bijna in haar poging om niet met hem mee te doen.

'Kom op. Genoeg van deze onzin.' Hij liep om de eettafel heen en nam haar rugtas van haar aan. Van de grijns die hij haar toewierp kreeg ze vlinders in haar buik. 'Ik beloof dat ik me zal gedragen.'

'Maar ik ben toch veel te onweerstaanbaar,' zei ze spottend.

'Dat is waar.'

Ze werd geraakt door de vertrouwelijke klank in zijn stem en bleef hem opnemen, zelfs toen ze allang had moeten wegkijken. Zijn blik was warm en bezitterig, een tikkeltje gretig. Hem mee naar huis nemen was vragen om ellende met een grote E. Hem een middagje de man des huizes te laten spelen. Hem toestaan zijn sporen in haar huis achter te laten.

Ze slaakte een zucht. 'En wat als ík me niet weet te gedragen?'

Connor deed een stap opzij en gebaarde naar de hal. 'Dan zal ik geen nee zeggen,' waarschuwde hij. 'Als je hoopt dat ik dan de gentleman uit ga lopen hangen, kom je waarschijnlijk van een koude kermis thuis.'

'Goed dan.' Stacey liep voor hem uit naar de voordeur en deed hem open, waarna hij even bleef staan om zijn zwaard te pakken. 'Maar ik zet je wel aan het werk, hoor, meneertje Grote-sterke-man-met-de-kinderscheldwoordjes.'

'Kom maar op, snoes.'

Hij liep achter haar aan naar het witte houten hek dat Lyssa's betegelde binnenplaats omheinde. Samen liepen ze naar het kleine parkeerterrein voor gasten. Stacey drukte op de afstandsbediening aan haar sleutelhanger, waardoor de achterklep van haar Nissan Sentra opensprong. Connor gooide haar rugtas en zijn zwaard in de kofferbak en liep fluitend naar het portier aan de passagierskant.

'Je bent hier veel te blij mee,' mompelde ze.

'En jij maakt je onnodig zorgen.' Hij zweeg en keek haar over het dak van haar auto aan. 'We hebben seks gehad, Stacey. Geweldige seks.'

Hij ging zachter praten en zijn accent werd zwaarder. 'Ik ben ín je geweest. Wat voor man zou ik zijn als ik daarna niet graag tijd met je doorbracht?'

Stacey slikte en knipperde met haar ogen. Deze blik had ze al eerder in zijn ogen gezien. Strak en serieus. Aandachtig. Het stond hem net zo goed als geamuseerdheid. 'Je maakt me in de war. Hou ik niet van.'

'Door je de waarheid te vertellen?'

'Door perfect te zijn!' siste ze hem toe, terwijl ze behoedzaam om zich heen keek om er zeker van te zijn dat niemand hen kon horen. 'Hou daarmee op.'

Er verscheen een tedere glimlach op zijn mond. 'Je bent geschift, wist je dat?'

'O ja?' Ze trok haar portier open en gleed achter het stuur. 'Je hoeft anders niet mee, hoor.'

De passagiersdeur ging open en hij vouwde zijn grote lichaam op in de ineens minuscule autostoel. Hij trok een gezicht.

'Schuif de stoel maar naar achteren, als je dan toch niet weggaat.'

Met een geïrriteerde blik schudde hij zijn hoofd. 'Ik ga nergens heen. Wen er maar aan.'

Stacey rolde met haar ogen, boog zich naar voren en zocht tussen zijn benen naar de handmatige stoelontgrendeling. 'Denk maar niet dat ik me schuldig ga voelen, alleen maar omdat jij geplet wordt. Duw eens naar achteren.'

Hij verroerde zich niet.

'Jezus Christus!' Ze gaf een mep tegen zijn kin. 'Waarom ben je zo koppig? Naar achteren.'

Nog steeds verroerde hij geen vin.

Toen ze haar hoofd omdraaide om er wat van te zeggen, stond ze ineens oog in oog met een indrukwekkende bobbel in zijn kruis. Zijn rechterhand lag op zijn bovenbeen, zijn vingers waren wit van het duwen in de harde spier onder de spijkerstof. Stacey was geschokt en bleef roerloos zitten. Langzaam drong het tot haar door. Uiteindelijk realiseerde ze zich dat haar borsten tegen zijn linker bovenbeen aan gedrukt zaten, en ritmisch op en neer gingen door haar moeizame ademhaling. Haar blik ging weer omhoog en toen zag ze zijn borstkas snel op en neer gaan. Ze liet haar ogen op zijn gezicht rusten.

Spottend keek hij haar aan. 'Moet dit voor meer comfort zorgen?'

Stacey gaf hem een boze blik en ging rechtop zitten. 'Dat deed je expres.'

Connor snoof en schoof zelf de stoel naar achteren. 'Kom, we gaan, snoes.'

Ze reden Lyssa's omheinde appartementencomplex uit en raasden de weg over naar Staceys deel van de stad. Oude stad, werd het genoemd, maar op het moment werd de wijk helemaal opgeknapt. Het nieuwe politiebureau en stadhuis kwamen in één groot complex terecht, en op de ooit lege percelen waren allerlei nieuwe bedrijfjes gevestigd. Murrieta was een nieuwe stad met een oude geschiedenis. Je kon er een Starbucks en een boerderij aantreffen, niet meer dan een blok van elkaar verwijderd. Ze hield van die tweedeling. De charme van het platteland gecombineerd met alle gemakken van deze tijd.

'Woon je hier graag?' vroeg Connor, terwijl hij nieuwsgierig het voorbijtrekkende landschap in zich opnam.

'Ja, Het past perfect bij me.'

'Wat vind je er zo leuk aan?'

Ze keek hem even van opzij aan. 'Wat zou ik er niet leuk aan kunnen vinden?'

Hij trok zijn neus op. 'Het stinkt hier.'

'O-ké…' Stacey dacht er even over na. 'We zíjn tenslotte

in een vallei.' Toen ze zijn vragende blik zag, legde ze uit: 'Smog blijft hangen in een vallei.'

'Lekker dan.'

Stacey haalde haar schouders op. 'Als je het hier al vindt stinken, kun je Norco maar beter helemaal overslaan.'

'Klinkt als een benzinestation,' zei hij.

Ze moest lachen. 'Dat vind ik nou ook! Maar even serieus, er zijn daar veel paarden. En er staan daar heel veel zuivelfabrieken. Het hele stadje ruikt naar koeienstront.'

'Klinkt goed.' Hij had die opvallende glimlach weer om zijn mond, waar haar hart direct van op hol sloeg.

Ze sloegen een hoek om en gingen het oude Murrieta in, waar geen stoepen waren en er nog aardig wat ruimte tussen de huizen zat. Het was heel anders dan waar Lyssa woonde. Daar kon je bij de buurman een kopje suiker lenen door alleen maar je arm uit het raam te steken.

Stacey parkeerde op de gravel oprit voor het tweekamerhuisje dat ze haar thuis noemde. Het was klein, nog geen negentig vierkante meter, maar het was aanbiddelijk. Al zei ze het zelf. Het had een brede veranda aan de voorkant, omlijst door glooiende bloembedden die ze zelf had ontworpen en geplant. Het huis was in een zachtgroene kleur geverfd met helderwitte randen, heel schattig vanbuiten en compleet gemoderniseerd vanbinnen. En het was van haar.

Nou ja, voor zover een huis met een hypotheek dat kon zijn.

'We zijn er,' zei ze en ze stak trots haar kin omhoog.

Connor liep om de achterklep heen en kwam naast haar staan.

'Leuk.'

Ze keek even naar hem en zag dat hij helemaal door haar optrekje in beslag werd genomen. 'Het is te klein voor jou,' dacht ze hardop, waar ze direct spijt van had toen ze bedacht hoe dat misschien overkwam. Alsof ze zich voorstelde dat hij hier woonde.

Hij draaide zich naar haar toe en kwam zo dicht bij haar staan dat ze hem wel moest ruiken. Ze kon de geur niet thuisbrengen. Het was geen parfum dat ze herkende. Hij was het gewoon zelf, vermoedde ze. *Just Connor* – briljante naam voor een persoonlijk parfum. Hij zou er rijk mee kunnen worden.

'Ik hou wel van nauwe ruimtes,' zei hij poeslief, maar met een ondeugende blik.

Niet voor het eerst vroeg Stacey zich af hoe het zou zijn om samen te wonen met een man die zo zelfverzekerd was. Door die overtuigdheid van zijn eigen kracht durfde hij zo schaamteloos met haar te flirten. Hij was heel anders dan alle andere mannen met wie ze ooit iets had gehad. Die anderen waren kleine mannetjes die maar deden alsof ze groot waren. Ze was altijd op de buitenkant gevallen, de illusie van stabiliteit. Tot ze Justin had gekregen. Toen had ze geleerd kracht in zichzelf te vinden, omdat er iemand afhankelijk van haar was.

Ze liep vlak langs Connor en ging naar de kofferbak,

waar ze haar rugtas uit pakte. Hij probeerde die van haar over te nemen, maar ze ontweek het aanbod, liep op een drafje naar de veranda en waarschuwde: 'Pas op voor de tweede trede. Dat is de kapotte.'

'Oké.'

Toen ze de met hout omlijste hordeur opentrok, stond hij alweer naast haar. Hij pakte de rand en hield hem open terwijl ze de twee nachtsloten en het gewone slot openmaakte.

'Is het hier niet veilig?' vroeg hij, terwijl hij nog even op de drempel bleef staan om de voortuin en de rustige straat erachter in zich op te nemen.

'Jawel. Maar in het donker neemt mijn angsthazengevoel het altijd over.'

Hij knikte meevoelend. Stacey vermoedde dat hij het begreep, maar ze betwijfelde of hij ooit ergens bang voor was geweest. Daar was hij veel te stabiel voor, veel te zelfverzekerd. Ze kon zich voorstellen dat je vastberaden werd als je was opgegroeid in een gezin dat zo op de gevaarlijke militaire dienst gericht was. Ze gingen er allemaal van uit dat ze zouden sterven, dus kenden ze geen angst, zoals anderen.

Hij liep achter haar aan de woonkamer in, en de hordeur zwiepte dicht met een luid geknars gevolgd door een hardere klap. Connor wierp er een afkeurende blik op. 'Je deur is stuk.'

'Technisch gezien werkt alleen dat kleine armpje niet, en is hij voor de rest in orde.'

'Dat maakt geen verschil. Hij is kaduuk.'

'Neuh, hij moet gewoon worden bijgesteld. Ga lekker zitten.'

Stacey liep de gang door naar de wasruimte, waar ze haar met kattenhaar bezaaide kleren uit haar rugtas haalde en in de wasmachine gooide.

Even later riep Connor haar toe: 'Knappe zoon heb je.'

Stacey slaakte een zucht en liep weer naar de woonkamer. Connor stond halverwege de gang naar de vele ingelijste foto's aan de muur te kijken. Het was een kleine ruimte en hij nam hem volledig in beslag; de bovenkant van zijn hoofd raakte bijna het lage plafond.

'Dank je. Dat vind ik ook.' Ze zag hem een polaroid bekijken van hen twee bij de zeepkistenrace van de welpen. Justin was destijds bijna net zo groot als zij, en met zijn middelbruine haar en donkere ogen zou je nooit zeggen dat hij familie van haar was.

'Dat is een paar jaar geleden,' legde ze uit. 'Daarna ging hij weg bij de welpen. Zei dat het typisch iets voor vaders en zonen was.'

Connor legde zijn hand op haar rug en streelde hem over de volle lengte. Het was een troostend gebaar, net als de kus die hij haar de vorige avond had gegeven, en het wás een bron van troost, maar tegelijkertijd ook iets anders. En dat kon ze niet over haar kant laten gaan. Ze kon niet laten gebeuren dat hij een steun en toeverlaat zou worden, want hij zou niet voor eeuwig blijven.

Ze had al zo vaak dezelfde vergissing begaan – kracht zoeken buiten zichzelf. Ze weigerde dat ooit nog eens te doen.

'Ik ga alvast aan de taart beginnen,' zei ze, waarna ze langs hem heen de keuken in liep. Het duurde even voor hij ook de keuken in kwam, en toen hij er was had hij een vreemde uitdrukking op zijn gezicht.

'Gaat het?' vroeg ze, terwijl ze de kraan dichtdraaide die ze had opengezet om de appels te wassen. 'Raak je in paniek van al die familiefoto's? Moet ik je naar huis brengen?'

'Aidans huis is niet mijn huis.' Hij leunde tegen de zijwand van de boog die het ontbijthoekje met de keuken verbond. Er was geen echte eetkamer, wat goed uitkwam omdat ze die ook niet nodig had.

Aandachtig bekeek hij haar, een broedende en overweldigende aanwezigheid in haar kleine keukentje. 'Moet ik soms in paniek raken omdat je een kind hebt?' Hij sloeg zijn armen over elkaar.

Dat was een inmiddels vertrouwd gebaar waardoor zijn verrukkelijke spieren goed uitkwamen. Hij nam al haar gedachten in beslag. Een buitenproportioneel grote persoonlijkheid in een buitenproportioneel groot lichaam. Het was te veel. Híj was te veel.

'Ik weet het niet.' Ze schudde het water uit het vergiet. 'Je keek een beetje vreemd uit je ogen toen je binnenkwam.'

'Ik heb een paar zware dagen achter de rug.'

'Wil je het erover hebben?'

'Ja, eigenlijk wel.'

'Oké. Brand los.' In een van haar onderste kastjes zocht ze naar haar appelschilmesje.

'Dat kan ik niet.'

Stacey ging rechtop staan en verborg haar onredelijke gevoel van gekwetstheid en teleurstelling met een sarcastisch 'Natuurlijk niet.'

'Je zou me toch niet geloven.'

'Ik zal je op je woord moeten vertrouwen.' Ze keek hem strak aan. 'Aangezien ik verder nergens op af kan gaan.'

Beiden bleven ze lang zwijgen. Ze voelde de tweestrijd in hem, de behoefte om iets belangrijks te zeggen, maar ze kon niet bedenken wat het kon zijn.

Dus deed ze een gok. 'Je komt niet fulltime in de Valley wonen, toch?'

Hij keek bedenkelijk. 'Ik moet veel reizen.'

'Oké.' Ze slaakte een zucht. 'Je gaat me toch niet vragen om helemaal de jouwe te zijn als je in de stad bent, maar single als je weg bent? Doe dat alsjeblieft niet.'

'Ik ben geen klootzak, Stacey,' zei hij met bedaarde waardigheid. 'Kun je de lat misschien iets hoger leggen als je aan me denkt?'

Connor keek hoe Stacey nerveus zat te friemelen. Hij baalde omdat hij bezig was het helemaal te verknallen, maar wist niet hoe hij de gebeurtenissen kon terugdraaien.

Hij wilde bij haar zijn. Zo simpel en zo ingewikkeld lag het.

Ze slaakte een hoorbare zucht. 'Sorry.' Ze hief haar handen omhoog. 'Ik heb gewoon geen flauw idee wat je hier doet. Waarom je zo naar me staat te kijken. Wat ik moet doen of zeggen.'

Ik ben hier omdat ik je niet alleen naar huis kon laten gaan terwijl er daarbuiten engerds rondlopen. Ik kijk naar je omdat ik in je kamer ben geweest en de dekens op je bed heb aangeraakt die jou warm houden. Ik wil dat jij zegt dat je me daar wilt hebben. Bij jou.

Ongeduldig veegde ze de vele donkere krullen uit haar gezicht. Hij wist dat ze beloftes en stabiliteit wilde. Misschien geen beloftes voor de eeuwigheid, maar buiten dit moment kon hij zelfs helemaal niets garanderen. Misschien zat hij vanavond wel op een vliegtuig zonder te weten wanneer hij terugkwam. De beste manier om haar in veiligheid te houden was door het gevaar tegen te houden voor het haar bereikte.

Aidan had gelijk. Connor wist dat hij de slechtst denkbare kandidaat voor haar was, maar dat hielp niet om het deel van hem dat per se voor haar wilde zorgen tot zwijgen te brengen.

Hij ging rechtop staan. 'Heb je gereedschap?'

Hard aan het werk gaan. Dat had hij nodig. Iets om zich fysiek mee bezig te houden, terwijl hij in zijn hoofd alles op een rijtje probeerde te krijgen. Anders zou hij haar binnen een paar seconden bespringen en haar proberen over te halen tot de vrijpartij waar hij zo wanhopig veel zin in had.

Tegen elkaar aan. Met haar benen om zijn heupen geslagen. Haar nagels in zijn rug.

'Alleen de basisdingen.'

Haar groene ogen verrieden zoveel. Wist ze dat wel?

'Ze zitten in een gele metalen emmer vlak achter de deur.'

'Dan ga ik aan het werk.'

'Dank je wel.'

Dankbaarheid. Die hoorde hij in haar stem. Zijn primitieve kant kon wel juichen van de overwinning. Ze had iets nodig en hij kon het haar geven.

Van mij.

Connor had zich nog nooit van zijn leven ook maar een beetje bezitterig ten opzichte van een geliefde gevoeld. Maar sinds hij Stacey had ontmoet was hij zichzelf niet meer.

Hij pakte de emmer bij het handvat, duwde de hordeur open en liep de veranda op. Er zat een aardig afstandje tussen het huis en de straat. Een breed grasveld liep van de bloembedden helemaal door tot aan het gaas.

Het was een leuk huisje, ouderwets en charmant. Het was een huis dat bij Stacey paste en een andere kant van haar liet zien. Hij wilde blijven eten en nog een film kijken. Hij wilde haar lichaam weer liefhebben, maar dan goed. Lang. De hele nacht. Hij wilde wakker worden van haar zalige kont die tegen zijn pik aan wiebelde. Alleen zouden ze dit keer allebei naakt zijn. Hij zou haar been op zijn heup kunnen leggen en van achter bij haar binnendringen…

De deur knalde achter hem dicht.

'Dat geval moet eruit,' gromde Connor en draaide zich nors naar het onding om. Hij legde het gereedschap neer en ging aan het werk. Het was verkeerd om aan Oudsten of Nachtmerries te denken. Hij had alleen deze ene dag met Stacey, en hoewel hij hierheen was gekomen omdat hij haar alleen wilde laten reizen, was hij inmiddels van plan om de paar uur met haar te gaan genieten alsof morgen niet bestond.

Want voor hem was dat ook zo.

Hoofdstuk 9

'Zo!' Connor ging op de gerepareerde trede staan en sprong op en neer. Het hout bood wonderwel weerstand.

'Jammie,' zei Stacey.

Terwijl de hordeur openging keek hij op en zag haar naar buiten komen. 'Hoi.'

'Hoi.'

Connor kende die blik in haar ogen. Die wierpen vrouwen hem al eeuwen toe. Maar Stacey nu voor het eerst, en omdat ze er ook onbewust bij over haar lippen likte werd hij er behoorlijk hitsig van.

'Snoesje,' zei hij poeslief, 'je ziet eruit alsof je me met huid en haar wilt verslinden.'

'Heb je de hele tijd zonder shirt rondgelopen?' vroeg ze buiten adem. Ze had haar haar in schattige hoge staartjes gedaan en hield twee glazen met een rood lijkende vloeistof en ijsblokjes vast. Om de een of andere reden werd hij bloedgeil van die meisjesachtige haarstijl. Er was niets onvolwassens aan Stacey, maar dit tafereel riep beelden van rollenspellen op die hij maar wat graag een keer met haar wilde spelen.

'Alleen het afgelopen halfuur.'

'Jammer dat ik het heb gemist.'

Zijn mondhoeken gingen omhoog. 'Ik ben er nog steeds, hoor.'

Ze keek alsof ze zijn aanbod overwoog. Hij hielp haar een handje door met zijn hand omlaag te gaan en zijn gespannen erectie door zijn spijkerbroek naar buiten te steken.

'Jezus, wat ben jij erg,' mompelde ze met onafgewende blik.

'Jij wilt mij, ik wil jou ook,' zei hij. 'Mijn lichaam staat gewoon in de aanslag…'

Stacey zuchtte diep en glimlachte met gemaakte vrolijkheid. Haar ogen deden niet mee, die waren bedrukt door verwarring en verlangen. 'Ik dacht dat je misschien wel zin had in cranberrysap.'

Hij wist wanneer hij moest aantrekken en wanneer hij moest afstoten.

'Lijkt me heerlijk.' Het eten smaakte hier een stuk beter, dat kon hij niet ontkennen. Het Chinese eten was fantastisch geweest, net als het glas jus d'orange dat hij die ochtend in plaats van koffie had gedronken. Hij stelde zich een leven voor van te veel eten, waarna hij alle extra energie in bed bij Stacey weer zou verbranden.

Het paradijs. Een droom.

'Hé!' zei hij quasi-verrast. Hij hield een hand bij zijn oor. 'Hoor je dat?'

Verstijfd bleef ze met gefronste wenkbrauwen op de

derde traptree staan. Toen zette ze grote ogen op. Met een vlugge blik achterom riep ze: 'Je hebt de deur gemaakt!' Hij raakte ontroerd door haar verrukte glimlach, omdat haar groene ogen dit keer mee oplichtten.

Hij haalde zijn schouders op alsof hij niet gloeide van mannelijke trots. 'Technisch gezien zat alleen maar dat kleine armpje vast.'

Stacey liep de laatste traptreden af en gaf hem een glas. Ze omklemde een van zijn vingers met twee van de hare en hield hem op zijn plek. 'Dank je wel.'

'Heel graag gedaan.' Connor bleef even staan, en dwong zichzelf regelmatig te blijven ademen.

Ze wendde haar blik af. Toen liet ze hem los, liep naar de reling van de veranda en legde haar ellebogen erop. Ze had iets melancholisch en hij wist niet wat hij moest zeggen, dus ging hij op de dichtstbijzijnde schommelbank zitten en nam een grote slok.

'Als jouw familie zo gebrand is op militaire dienst,' begon ze, 'waarom ben je dan weggegaan uit het leger? Was je gewond?'

Connor haalde diep adem, en vroeg zich af wat hij moest antwoorden. Uiteindelijk bedacht hij dat hij maar het beste eerlijk tegen haar kon zijn. 'Ik was het vertrouwen in onze regering kwijt,' gaf hij toe, terwijl hij behoedzaam haar reactie in de gaten hield. 'Toen het belang van het volk naar mijn idee niet langer vooropstond, moest ik wel vertrekken.'

'O.' Vol medeleven keek ze hem aan. 'Wat erg voor je. Je klinkt heel teleurgesteld.'

Het leek alsof ze zich dat echt aantrok. Hij kreeg het er warm van, en er verscheen een dun laagje zweet op zijn huid. De enige met wie hij persoonlijke dingen deelde was Aidan. Connor putte daar troost uit, maar van een heel andere soort dan de troost die Stacey hem gaf. Door haar kreeg hij zin om nog meer te delen, meer van zichzelf te geven, hun band te verstevigen omdat hij kracht putte uit het feit dat zij er was.

'Ik wílde ze vertrouwen.' Zachtjes wiegde hij heen en weer, terwijl hij genoot van het middagbriesje, dat rook naar vers gemaaid gras en de geurige bloemen die Stacey om de veranda heen had geplant. Hij was niet thuis, maar zo voelde het wel. 'Het is heel moeilijk te erkennen dat je jezelf moedwillig voor de gek hebt lopen houden omdat de waarheid te pijnlijk was om onder ogen te zien.'

'Connor.' Ze zuchtte en liep naar hem toe. Hij schoof opzij om plaats voor haar te maken.

'En wat ga je nu doen?' vroeg ze, terwijl ze de inhoud van haar glas bestudeerde.

'Dat weet ik niet. Zodra Aidan is hersteld moeten we de koppen maar eens bij elkaar steken en bedenken wat onze volgende stap wordt.'

'Werk jij ook voor McDougal?'

'Nee.'

'Hoelang blijf je hier?'

'Dat weet ik niet. Niet zo lang. Misschien nog een dag.'

'O...'

Samen wiegden ze een poosje in stilte verder. Hij keek met geloken ogen naar haar, en zag haar vingers rusteloos bewegen. Ze had een roze hemdje aangedaan en een overall met korte pijpen waar lenige benen uit staken. Hij genoot met volle teugen van het uitzicht, en werd volledig in beslag genomen door de aan- en ontspanning van haar bovenbeenspieren, terwijl ze de schommel heen en weer duwde.

'Je kunt vast niet wachten om te gaan.'

Zijn mond vertrok. 'Waarom zeg je dat?'

Met een grote zwaai gebaarde Stacey naar de ruimte om hen heen. 'Je zult je wel stierlijk vervelen hier.'

'O ja?' Connor boog zich naar haar toe, sloeg zijn arm om haar slanke taille en trok haar dichter tegen zich aan. 'Wat zou je nu doen als ik er niet was?'

Ze haalde haar schouders op. 'Schoonmaken. De was. Soms ren ik even naar de Movie Experience voor een actiefilm.'

'Ga je nooit uit met mannen?' vroeg hij zachtjes.

'Daar heb ik nauwelijks tijd voor.' Ze wierp een vluchtige blik op hem. 'En er zijn ook niet zoveel mannen geïnteresseerd in alleenstaande moeders.'

'Je bent veel meer dan dat.' Hij liet zijn vingers langs haar zij omhoogglijden en voelde een huivering door haar heen trekken. 'Je bent ook een vrouw.'

'Soms moet die vrouw even plaatsmaken voor andere belangrijke dingen.'

'Natuurlijk,' mompelde hij. 'Maar je negeert haar compleet.'

Ze stak haar kin omhoog. 'Niet iedereen is gemaakt voor losse seksuele contacten.'

'Dat is waar.'

Stacey draaide haar bovenlichaam weg van zijn aanraking, waardoor ze bijna met haar gezicht tegen het zijne aan kwam te zitten. 'Hoe doe jij dat eigenlijk?'

Zijn neusvleugels verwijdden zich. 'Waarom wil je dat weten?'

'Misschien kan ik een paar tips gebruiken.'

'Schatje.' Hij trok haar dicht tegen zich aan. Haar drankje klotste over de rand van haar glas en spetterde op de veranda, maar geen van beiden lette erop. Ze hapte naar adem; haar geopende mond was maar een paar centimeter bij de zijne vandaan. 'Voor geen goud zou ik jou leren hoe je losse contacten kunt hebben.'

De gedachte alleen al dat ze door een andere man zou worden aangeraakt maakte hem woest en prikkelbaar. Hij knarsetandde en masseerde haar rusteloos met zijn vingers.

Omdat ze zijn gevaarlijke bezitterigheid verkeerd opvatte, likte ze met haar tong over haar onderlip. Ze voelde bij haar heup dat hij een stijve kreeg en sloeg haar ogen neer. 'Maar dan kan ik ook geen los contact met jou hebben,' zei ze flirterig.

Even keek Connor haar verbaasd aan, toen gromde hij: 'Ik wil helemaal geen los contact met jou.'

'O nee?'

Hij schudde zijn hoofd en boog naar voren om zijn glas op het kleine gietijzeren tafeltje vlak naast de schommel neer te zetten. Toen legde hij zijn beide handen op haar rug en streelde haar, om haar te horen kreunen. 'Ik kijk er niet naar uit om weg te gaan. Ik zal altijd spijt hebben dat ik niet van je heb genoten op de manier waarop ik dat had moeten doen. Ik zal me nog lange tijd de haren uit het hoofd trekken omdat ik mezelf niet onder controle had toen dat moest.'

'Ik vond het juist lekker dat je zo wild was.' Ze bloosde en liet haar blik omlaaggaan naar waar haar hand zijn borst raakte.

'Je had het nog lekkerder gevonden als ik mezelf in bedwang had gehad,' zei hij, terwijl hij haar glas aannam en naast het zijne zette. Hij draaide haar met haar gezicht van hem af en legde haar met haar rug tegen zijn borst. Hij sloeg zijn armen om haar middel, legde zijn kin op haar hoofd en zette af, waardoor ze heen en weer begonnen te schommelen.

'Hier zou ik heel goed aan kunnen wennen,' mompelde hij, terwijl hij zijn ogen dichtdeed en genoot van het warme gewicht van haar welgevormde lichaam tegen hem aan. Hij liet zijn handen onder de overall glijden en omsloot er haar stevige, volle borsten mee.

Van mij.

Maar om haar in leven te houden, moest hij haar laten gaan.

'Ik moet even naar de taart kijken,' zei ze zachtjes. Toch maakte ze weinig aanstalten om zich los te maken.

Connor keek bedenkelijk. 'Ik weet niet hoe ik hierdoorheen kom.'

'Waardoorheen?' Toen begon ze te worstelen.

Met tegenzin liet hij haar los. 'Jouw schild.'

'Mijn wát?' Ze stond op en deinsde een paar passen achteruit.

'Je bent net zo'n geschubd ding dat traag loopt en zich in een rond schild verstopt.'

'Een schildpad?'

'Yep.' Hij knikte ernstig. 'Zo een ja. Een bijtschildpad.'

De woedende blik op haar gezicht was grappig, maar hij weigerde te glimlachen. Ze hadden geen tijd om om de hete brij heen te draaien.

'Moet je horen.' Geagiteerd stak ze haar gebalde handen in haar zij. 'Het is niet eerlijk om me te vragen om niet-los seksueel contact met je te hebben als je weggaat.'

'Dat weet ik.'

'Hou er dan mee op!'

'Dat kan ik niet,' zei hij alleen maar. 'Ik verlang zo erg naar je, dat het pijn doet.'

Even keek ze hem nijdig aan, toen stevende ze op de deur af en stormde het huis in. Connor vloekte binnensmonds en ging rechtop zitten. Dit sloeg helemaal nergens op. Hij moest weg hier en zijn verstand zien terug te vinden. Er stond nog heel wat te gebeuren en hij maakte het alleen maar ingewikkelder door te luisteren naar een aantrekkingskracht die tegen alle logica inging.

Het laatste wat hij kon gebruiken was te worden vastgepind en tegengehouden; hij moest kunnen vertrekken wanneer dat nodig was. En zij had een man nodig die aan haar zijde stond, haar steunde, voor haar zorgde.

Hij kwam overeind en liep naar de deur. Hij zou een taxi bellen om hem terug naar Aidan te brengen en dan doorwerken tot Aidan en Lyssa wakker werden. Over een dag of twee zou hij hier ver vandaan zijn. Zo lang moest hij bij Stacey weg zien te blijven.

Zodra hij het huis binnenging werd hij zodanig door de geur van kaneel, boter en appels getroffen dat hij als aan de grond genageld bleef staan. Net over de drempel bleef hij staan en liet zijn blik door de kleine woonkamer gaan.

De muren waren heel zachtgeel geverfd, de bank en grote stoel waren blauw-wit gestreept, de salon- en bijzettafeltjes bekrast en geschilferd op een manier waardoor je je als bezoeker meteen op je gemak voelde. Het was er gezellig en uitnodigend, heel anders dan in zijn strak ingerichte vrijgezellenwoning in de Schemering. Het kwam maar zelden voor dat hij alleen thuis was, hij zat liever bij Aidan.

Hij wilde hier meer tijd doorbrengen. Met Stacey.

Met een vastberaden blik ging hij op de bank zitten. Hij

nam de handsfree telefoon uit zijn houder, pakte de gouden gids uit het witrieten mandje onder de tafel en begon erdoorheen te bladeren. Hij voelde Stacey de kamer binnenkomen en keek naar haar op. 'Wacht, ik ga wel even voor je aan de ka...'

Midden in de zin viel hij stil en hij gaapte haar aan. De staartjes waren verdwenen. De schoenen waren verdwenen. Doordat ze haar vingers op de metalen gesp van de schouderbanden van haar overall hield wist hij dat die ook op het punt stond om te verdwijnen.

'O, nee hoor,' zei ze onverbiddelijk, terwijl ze in haar zak voelde en een strip condooms naar hem toe gooide. 'Jij gaat helemaal nergens heen.'

Hij ving de aluminiumstrip op, waarbij hij elke spier in zijn lichaam aanspande tot het pijn deed. Dat in combinatie met de aanblik van haar overall die op de vloer viel – waarbij welgevormde benen en een piepklein rood stringetje tevoorschijn kwamen waar hij meteen een stijve van kreeg – maakte hem aan het kreunen.

Controle? Dacht hij nou echt dat hij zichzelf in bedwang zou kunnen houden als ze opnieuw de liefde met elkaar zouden bedrijven? Was hij wel helemaal goed bij zijn hoofd?

'Wat doe je, schatje?' vroeg hij schor.

Ze trok een wenkbrauw op, greep de zoom van haar hemdje vast en trok hem over haar hoofd. Haar beeldschone tieten gingen door de heftige bewegingen op en neer.

Het waren de mooiste borsten die hij ooit had gezien: bleek en met lange, rozige tepels in het midden. Door zijn verlangen om eraan te zuigen liep zijn mond over van het vocht. Hij slikte.

'Ik kleed me uit zodat ik je kan neuken,' snauwde ze.

Dit keer werd het geluid dat aan zijn mond ontsnapte bruut afgebroken door de vleselijke lust, die hem stevig in zijn greep had.

Vol verlangen keek hij toe terwijl ze haar slanke vingers onder de band van haar stringetje schoof en het omlaag trok, waarna er een mooi geschoren driehoekje van zwarte krulletjes tevoorschijn kwam. Hij stond aan de grond genageld, weigerde met zijn ogen te knipperen, was helemaal vol van haar aanblik. Kort, stevig waar het moest om hem ervan te verzekeren dat ze niet zou breken als hij haar bereed, met felgroene ogen die brandden van passie. Natuurlijk bestond de helft van die passie uit woede, maar daar kon hij wat aan doen, zodra zijn hoofd het weer deed.

Stacey kwam op hem afgestevend, met een enorm krachtige uitstraling. Hij wist dat hij in de problemen zat. Er zat een knoop in zijn maag, hij kreeg amper nog lucht. Zelfs met een heel legioen aan Nachtmerries tegenover zich had hij zich nooit zo gevoeld. Het leek wel alsof elke stap die ze zette een stap vooruit was die niet meer kon worden teruggedraaid. Hij was opgewonden en doodsbang tegelijk.

Toen kronkelde ze over hem heen, ging op zijn schoot zitten, en werd iedere ademhaling gevuld met haar geur.

Wellustige, gewillige, opgewonden vrouw. Zoals hij er nog nooit een had meegemaakt.

Zijn aanvankelijke zweempje angst ging over in de onmiskenbare sensatie dat dit klopte. Hij voelde zich niet opgesloten door Staceys verlangen. Hij wilde het, wilde haar, en alleen met haar in zijn armen kwam dat knagende gevoel tot rust.

Ze voelde aan de knoop en rits van zijn spijkerbroek, en het gevoel van haar vingers die zijn pik streelden haalde hem uit zijn bedwelming. Hij stak zijn hand tussen haar benen, spreidde haar met zijn vingers, en voelde dat ze nat en heet was.

'Ja,' fluisterde ze, en ze trok harder aan zijn broek, die moeilijk uit te krijgen was omdat hij zat.

'Ik wil je beffen,' zei hij schor, omdat hij haar smaak wanhopig graag op zijn tong wilde hebben.

Gespannen en met geloken ogen keek ze naar zijn mond. Hij beet op zijn onderlip en liet hem toen los, terwijl hij haar onder zijn strelende vingertoppen voelde rillen. Terwijl hij rondjes om haar clitoris draaide, likte hij haar lippen. Ze kreunde en haar tepels werden nog harder, vlak voor zijn gezicht.

Hij leunde naar voren, deed zijn mond open en zoog haar naar binnen. Het was niet genoeg, bij lange na niet. Met zijn vrije hand pakte hij haar andere borst vast, kneep en masseerde die en voelde hem zwaarder worden en opzwellen van haar verlangen. Met holle wangen drukte hij een gezwollen tepel tegen zijn verhemelte en likte er met zijn tong overheen. Terwijl hij tussen haar benen wreef en genoot van de geluidjes die ze maakte, de manier waarop ze tegen hem aanwreef en haar nagels in de blote huid van zijn schouders drukte.

Met twee vingers streelde hij over de spleet van haar poesje, en drong toen bij haar naar binnen. Ze was drijfnat, het vocht droop langs zijn vingers. Gretig omklemde ze hem terwijl hij haar neukte. Erin en eruit. Hij gebruikte al zijn vaardigheden om haar poesje te bewerken, maakte haar helemaal nat en liet haar smeken om zijn pik.

'Alsjeblieft... Neuk me...'

Hij vond het fantastisch en zou er nooit genoeg van krijgen, niet om zijn ego, maar om haar. Omdat hij haar gelukkig wilde maken. Hij wilde de man zijn die in staat was haar gelukkig te maken.

'Connor... alsjeblieft!'

De hele tijd bleef hij aan haar borst zuigen, terwijl hij zachtjes met zijn lippen en tanden beet, en vliegensvlug zijn tong over het harde puntje liet gaan.

Ze begon met haar heupen te draaien, neukte hem terug, terwijl ze omhoog en omlaag kwam en zijn duwende vingers bereed. Haar kruis was zo doorweekt dat hij het niet alleen voelde maar ook hoorde, de natte geluidjes waren zo erotisch dat hij bang werd dat hij zichzelf niet meer in de hand zou hebben en in zijn broek zou klaarkomen.

Met een grom trok hij zijn vingers uit haar en liet haar

borst met een nat ploppend geluidje los. 'Ik moet je poesje beffen.'

Omdat hij niet op haar hulp kon wachten greep hij haar bij haar middel, draaide zijn lichaam en ging over de lengte van de bank liggen. Verrast slaakte ze een gilletje toen hij haar omhoog en over zijn mond heen trok, en kreunde toen zijn naam terwijl hij zijn hoofd omhoogbracht en haar hele poesje in één verhitte beweging aflikte.

Zijn pik werd nog harder toen hij haar proefde. Inmiddels zat zijn spijkerbroek pijnlijk strak. Connor bracht zijn hand omlaag en bevrijdde zichzelf, terwijl hij een zucht van verlichting slaakte toen de druk verminderde en de buitenlucht hem genoeg verkoeling gaf om het wat rustiger aan te doen.

'Lager,' zei hij hees, terwijl hij aan haar dijen trok.

Stacey knipperde met haar ogen naar de prachtige pik tussen haar obsceen ver uitgespreide benen en voelde de natheid van haar lust over de binnenkant van haar benen lopen. Nog nooit was ze zo opgewonden geweest. Hij nam compleet bezit van haar. Hij verslond haar. Dit was precies wat ze zich had voorgesteld.

Toen ze even daarvoor de taart uit de oven had gehaald, had ze gefantaseerd hoe het zou zijn als ze iets met elkaar zouden hebben. Zich voorgesteld hoe het zou zijn als dit het begin was in plaats van het einde. Uit de manier waarop hij steeds aan haar zat en met haar flirtte, maakte ze op dat hij het type man was dat haar op de keukentafel zou neuken omdat hij niet kon wachten tot ze in de slaapkamer waren. Ze stelde zich voor hoe hij haar van achteren zou besluipen terwijl ze de afwas stond te doen, haar korte broek omlaag zou trekken en dan zijn pik in haar zou steken.

Hij was een primitieve, extreem seksuele man, en ze wilde hem. Nog nooit in haar leven had ze een man als hij ontmoet. Wat nou als ze er ook nooit meer een tegenkwam? Seks tegen de keukenmuur. Seks zonder remmingen. Seks zonder taboes. Dat soort seks had ze maar een keer in haar leven gehad. Gisteravond. Met Connor. En het was fenomenaal geweest. Zou ze het zichzelf later niet kwalijk nemen dat ze er niet meer uit had gehaald toen ze de kans had?

Op dat moment, met een hete appeltaart in haar gehandschoende handen, had Stacey besloten dat ze een grote meid was. Dit kon ze heus wel aan. Er waren ergere dingen op de wereld dan een twonightstand met een man die je leuk vond en die jou ook leuk vond.

'Kom omlaag,' herhaalde hij, terwijl hij aan haar trok met zijn glinsterende lippen halfopen en een duistere, gretige blik. 'Ga op mijn gezicht zitten zodat ik je diep kan neuken met mijn tong.'

Stacey rilde. Hij was het type man dat het leuk vond om een vrouw te beffen; het heerlijk vond om haar gek te maken en op zo'n enorm persoonlijke manier bezit van haar te nemen, haar te brandmerken, tot de zijne te maken.

Vandaag wilde ze ook van hem zijn.

Zich vastgrijpend aan de rug van de bank, om in even-wicht te blijven, kwam ze omlaag, terwijl ze haar geluidjes inslikte die ze bijna slaakte toen zijn warme adem haar nat-te huid overspoelde.

'Ja,' zei hij, terwijl hij met zijn grote handen haar billen omklemde en haar naar zich toe trok. Hij begon haar te lik-ken met lange, trage halen, zonder een plooitje of spleetje over te slaan. Ze voelde zijn warme adem. Hij prikkelde haar clitoris, terwijl hij er vederlicht en vliegensvlug over-heen bewoog.

'Ja, daar,' fluisterde ze, terwijl ze mee wiegde met de gek-makende bewegingen. Nog één stevige lik en ze zou klaar-komen. Ze wiegde met haar heupen en volgde zijn tong.

Connor, die verdomd goed wist wat ze nodig had, be-woog weg van de kleine uitstulping, kantelde zijn hoofd en stootte in haar.

'Ah, god!' Ze trilde helemaal, haar vingers waren spier-wit van hun verkrampte greep om de bank.

Connor gromde en trok haar tegen zich aan, hield haar heupen vast en draaide haar poesje in zijn mond, terwijl hij haar hard en diep neukte met zijn tong. De lucht werd ge-vuld door verleidelijke zuiggeluidjes terwijl hij haar met een ruw, gretig kreungeluid leegdronk.

Het orgasme dat volgde was fantastisch. Knarsetandend kneep ze haar ogen dicht. Door haar stilte leek zijn vurig-heid alleen maar te worden aangewakkerd. Hij tilde haar op en draaide opzij, terwijl hij haar met haar billen op de houten salontafel zette en zich vervolgens over haar heen boog. Met zijn lippen aan haar oor en zijn linkerhand op haar heup bracht hij zijn rechterhand omlaag tussen hen in om zichzelf bij haar opening te plaatsen. Hij stootte hard en diep, waarbij hij haar met de volle lengte van zijn branden-de pik tegen het oppervlak duwde.

Geschrokken en vol verlangen zoog ze haar adem naar binnen. Ze hield zich vast terwijl hij een hand in haar haar stak en haar hoofd naar achteren trok. Met zijn volledige forse, harde lichaam bedekte hij haar. Hij domineerde haar, bezat haar, van binnen en van buiten. Zelfs zijn ademhaling was van haar. Ze ademde via hem.

'Van mij,' gromde hij, terwijl hij haar met zijn hand op haar heup hard tegen zich aan trok, tot ze nergens meer door gescheiden werden. Binnen in haar spande hij zich krachtig aan, alsof hij wilde zeggen: *Ik ben in jou. Deel van jou.*

Het gevoel ervan raakte nog net het uiteinde van haar or-gasme, en ze wikkelde zich nog steviger om hem heen, waardoor de afnemende stuiptrekkingen van haar orgasme nieuw leven werd ingeblazen.

Hij kreunde terwijl zij zich op en neer over zijn pik heen bewoog, met zijn in het zweet gedrenkte voorhoofd tegen het hare.

'Je bent voor me gemaakt,' mompelde hij.

Het was weliswaar een beetje krap, maar ze pasten perfect in elkaar. Voor ze Connor had ontmoet zou ze hebben gezworen dat ze zo'n grote pik nooit aan zou kunnen. Maar ze werd zo godvergeten geil en nat van hem. Langzaam draaide ze haar heupen in het rond, alleen maar om het volle effect van zijn omvang te voelen.

'O!' stamelde ze, terwijl alles in haar verstrakte, klaar voor meer.

'Ja,' kreunde hij, en hij bewoog zijn slanke heupen ook tegen de hare, rusteloos, bijna wezenloos, terwijl zijn zware ballen tegen de naad van haar billen lagen. 'Zo lekker... zo fucking lekker...'

Ze had haar armen achter zich, en hield zichzelf met haar handen plat op de salontafel omhoog. 'Neuk me,' smeekte ze. Ze draaide zich met haar heupen tegen de zijne en voelde zich op en top een begeerlijke, gepassioneerde vrouw. Zo had ze zich al veel te lang niet meer gevoeld.

'Ik néúk je ook, schatje.' Hij kwam een klein beetje omhoog, waarbij hij haar trakteerde op de aanblik van strakke, bezwete buikspieren en haar liet zien dat hij nog steeds zijn spijkerbroek en laarzen aanhad. Daar werd Stacey alleen maar geiler van, het idee dat een man de moeite niet nam om zich uit te kleden omdat hij daarvoor te heftig naar haar verlangde.

Op dat moment zag ze de strip condooms op de bank liggen. Met wijd open ogen keek ze omlaag, naar waar ze met elkaar verbonden waren. Toen trok hij zich terug; zijn pik zat vol kloppende aderen en glom van haar opwinding.

'Condoom!' stamelde ze, toen hij zich weer langzaam bij

haar naar binnen duwde, waardoor haar lichaamstemperatuur net genoeg toenam om haar te laten transpireren.

'Ik haal hem er op tijd uit,' gromde hij, en hij trok zijn pik naar achteren, waarna hij die weer in haar stootte, harder maar niet sneller. 'Zo verdomde lekker...'

'O god!' Vol hulpeloze verrukking trok haar poesje zich samen. Zijn pik was prachtig om te zien, en nog beter om te berijden. Ze werd er zo door gevuld dat ze hem tot in detail kon voelen. Het rolletje onder de brede eikel streek langs een heel gevoelig plekje. Ze krulde haar tenen, wilde het moment niet bederven, maar... 'Ik... ik ben niet aan de pil.'

Hij reageerde direct. Voor andere mannen was dit een koude douche geweest, maar niet voor Connor. Hij trok haar dichter naar de rand en stootte nog twee keer snel in haar. 'Ik kan je niet zwanger maken. Ik ben kerngezond.'

Ze kreunde terwijl hij het tempo versnelde en zijn buikspieren in een gestaag ritme aanspande en losliet. Hij boog zich opnieuw over haar heen, duwde haar naar achteren en kwam boven haar overeind. Ze keek naar hem op en smolt onder de hitte van zijn blik, terwijl ze genoot van de aanblik van zijn prachtige lichaam boven en in haar.

'Jij bent de enige,' zei hij schor. 'Met niemand vóór jou is het ooit echt geweest.'

Stacey kromde haar rug terwijl ze door zijn stoten dichter bij een orgasme werd gebracht. Hij liet haar los, legde zijn beide handen op tafel naast haar schouders en neukte haar poes met heftige, meedogenloze stoten. 'Jij bent de enige,' herhaalde hij, terwijl hij haar recht aankeek met een vaste, open blik.

Met haar benen om zijn heupen kwam ze schreeuwend klaar; ze lag onder hem te kronkelen en krulde haar tenen van het intense genot. Heel bekwaam liet hij het voortduren, door met de eikel van zijn pik over dat gevoelige plekje binnen in haar te blijven wrijven, ondertussen complimentjes mompelend.

Pas toen ze zwakjes '*genoeg*' smeekte, rukte hij zich los, kwam boven haar staan en greep zijn pik die hij met zijn vuist begon af te trekken tot hij kreunde en over haar borsten heen klaarkwam in een hete, melkachtige stroom.

Het was vulgair en rauw. Toen nam hij haar in zijn armen, zonk hij met haar weg op de bank, en werd het lief en mooi – omdat zijn lichaam net zo huiverde als het hare en zijn hart met hetzelfde wanhopige ritme klopte als het hare.

Met een zwaar accent van alle emotie fluisterde hij haar naam. Stacey hield zich stevig vast en was compleet verloren.

Hoofdstuk 10

'Ze hebben de drie-eenheid.'

Michael keek bedenkelijk en ging op het stenen bankje zitten dat onder de boom op het plein van de Eliteacademie stond. 'Dat is niet zo fraai.'

Oudste Rachel liep te ijsberen, zoals ze altijd deed als ze geïrriteerd was. Zelfs in droomstaat was de vrouw veel te gespannen, en toch bleef ze altijd geconcentreerd op de taak die voor haar lag. Het was een krachtige combinatie – lichamelijke rusteloosheid vermengd met geestelijke stabiliteit.

'Het was dat godvergeten rode haar,' zei ze kwaad. 'De dienaren worden al na een paar dagen onhandelbaar en onbehulpzaam. Zelfs met de chip in hun hoofd wordt het onmogelijk hen nog in toom te houden.'

'Vernietig ze zodra ze niet meer van pas komen.'

'Ik weet wat me te doen staat, Oudste Sheron. Maar een van hen heeft de chip eigenhandig uit haar hoofd gesloopt. We moeten ervan uitgaan dat de anderen ook tot dit soort zelfmutilatie in staat zijn.'

Dat wist hij uiteraard ook wel. Hij wist alles wat er in haar listige hoofd zat opgeslagen omdat hij erin zat en omdat ze al eeuwenlang hadden samengezworen. Maar hij liet haar uitpraten. Ze vond het vreselijk om hem in haar hoofd te hebben, dus deed ze liever alsof dat niet zo was. Hij hield de illusie in stand.

'Laat de compleet verwilderden maar over aan Kapiteins Cross en Bruce,' mompelde hij. 'Dan hebben die ook wat te doen. Voor jou zijn er belangrijker zaken om je mee bezig te houden. We moeten de drie-eenheid hebben. Je had het nooit aan een dienaar moeten overlaten om die op te sporen.'

'Ik had geen keus. Ik moest terug naar de Schemering voor uw audiëntie met de Oudsten. Nu ik me "vrijwillig" heb aangeboden om naar het sterfelijke niveau af te reizen, hebben we veel meer bewegingsvrijheid. Ik hoef nu niet meer te doen alsof ik hier ben, terwijl ik eigenlijk dáár zit.'

Ze draaide zich om, waardoor haar lange donkere lokken over haar schouder vielen. Michael bewonderde haar, al verachtte hij haar ook.

De helft van de mannen die ik heb meegenomen kan ik niet vertrouwen,' klaagde ze, 'omdat hun loyaliteit niet bij u en mij ligt, maar bij het Oudsten-collectief. De dienaars zijn wild, maar door de chips blijven ze loyaal. In ieder geval tot de Nachtmerries hun geest compleet kapot hebben gemaakt.'

Michael veegde een verdwaald blaadje van het manchet van zijn brede mouw en keek om zich heen. Hij wilde Rachels droomversie van de Eliteacademie bekijken. In haar gedachten was die niet verouderd, zag ze er nog precies zo uit als in de tijd dat zij er had gestudeerd. Het binnenplein waar ze elkaar ontmoetten was rond, omringd met gravel en het lag in de schaduw van enorme bomen. Om het middelpunt heen stonden diverse openluchtamfitheaters waar gevechtstraining werd gegeven en in klaslokalen in het grote gebouw aan de zuidkant werd lesgegeven.

'Het is tijd voor de volgende stap,' zei hij uiteindelijk.

Rachel verstijfde; haar groene ogen werden groter. 'Ik dacht al dat je er nooit over zou beginnen.'

Ze had het een week geleden al voorgesteld, maar hij had geen actie ondernomen. Het leek zonde om zo'n instrument lichtvaardig in te zetten. Nu was de tijd rijp.

'Nooit aan mij twijfelen,' zei Sheron en hij kwam overeind. Hij bleef haar strak aankijken terwijl hij zijn kap omhoogtrok.

'Het zal allemaal gaan zoals we hebben afgesproken,' beloofde ze.

'Geweldig.' Hij maakte een buiging en liep naar de rand van de stroming, 'Tot in je volgende droom.'

Connor keek naar de dommelende vrouw in zijn armen en wist dat hij goed in de shit zat. Zijn borstkas was strak en warm, waardoor hij maar moeilijk adem kon halen. Elke inademing rook naar zweet en seks, elke uitademing was weer een moment dichter bij het moment waarop hij moest vertrekken.

Stacey was beeldschoon, zo half in slaap. De harde lijnen van stress en spanning om haar mond en ogen waren een stuk zachter nu ze ontspannen was, wat haar gezicht iets jeugdigs en moois gaf. Crèmekleurige zachte huid, donkere wenkbrauwen, kersenrode lippen.

Zo zou hij elke dag wel wakker willen worden. Met deze vrouw. In dit huis. Hij had voldoende jongemannen voor de Elite getraind om erop te kunnen vertrouwen dat hij ook Justin kon helpen. Connor kende zijn type en wist wat het gebrek aan een vaderfiguur teweeg kon brengen. Hij had het bij Aidan gezien. Het zou niet makkelijk zijn, maar hiervoor – hij legde zijn hand op Staceys wang en streelde de welving van haar jukbeen – voor háár was het allemaal de moeite waard.

Hij trok haar een beetje dichter naar zich toe en nam bezit van haar mond, waarbij hij zijn lippen zachtjes op de hare drukte. Toen ze begon te kreunen sloeg hij zijn armen nog steviger om haar heen. Hij wilde haar houden, ontdekken, zichzelf met haar delen. Misschien zou wat nu zo goed voelde over een maand nog steeds wel zo goed voelen. Of over een jaar. Of jaren.

Veelbelovend. Ze waren veelbelovend, en de gedachte dat die belofte misschien wel nooit tot bloei zou komen kon hij maar moeilijk verdragen. Alleen zijn als je wist dat je daar gelukkiger van werd, was één ding. Maar alleen zijn terwijl er iemand was bij wie je wilde zijn, was iets heel anders.

Hij likte de plooi tussen Staceys lippen en bedreef de liefde met haar wulpse, zachte mond. Helemaal verzot op haar smaak stootte hij zijn tong diep naar binnen; hij liet hem lang en traag naar binnen glijden, op dezelfde manier waarop hij met de rest van haar de liefde zou willen bedrijven. Kon hij dat haastige gevoel maar van zich afschudden, dat idee dat ze op elk moment van hem kon worden weggerukt en hij de kans om van haar te genieten zou verliezen.

Ze bracht haar hand omhoog en liet hem in zijn nekhaar glijden. De eenvoud van de aanraking ontroerde hem diep, vanwege de natuurlijke argeloosheid. Het gebaar was niet gemaakt om hem te prikkelen. Het was een gebaar enkel en alleen om hem dicht bij haar te houden, hem in de buurt te houden zodat ze hem met haar terugkerende energie kon verslinden. Stacey beantwoordde zijn kus door met haar tong langs de zijne te strelen, terwijl ze haar mond onder de zijne liet draaien en haar lippen zich zuigend aan de zijne vastklampten.

Hij kwam overeind en trok haar met zich mee, zonder de kus ook maar één keer af te breken, zelfs niet toen hij de gang door naar haar slaapkamer liep.

'Gaan we het nog een keer doen?' fluisterde ze dromerig in zijn mond.

'Reken maar.'

Connor tilde haar op, zodat ze haar benen om zijn heupen kon slaan. Dat was al voldoende om hem keihard te maken, dat welgevormde naakte lichaam van haar, stevig tegen het zijne aan. Ze was nog nat van zijn sperma, een grove territoriumafbakening waar het primitieve beest in hem door werd aangesproken. Geen andere man mocht haar hebben. Hij had haar gebrandmerkt, tot de zijne gemaakt.

Met haar armen om zijn nek leunde ze achterover, omlaagkijkend naar zijn pik tussen hen in die gretig omhoogkwam. 'Je hebt de condooms in de woonkamer laten liggen.'

Hij gromde diep, hij zou haar graag de waarheid willen vertellen. Doordat hij Aidans dromen had gedeeld wist Connor dat Aidan en Lyssa er zeker van waren dat hun soorten reproductief onverenigbaar waren, ondanks hun uiterlijke overeenkomsten. Maar als Connor nu aan Stacey zou vertellen dat hij uit een ander bestaansniveau kwam, bedierf hij het moment, en mogelijk zelfs hun gezamenlijke toekomst.

'Ik haal ze wel even,' verzekerde hij haar.

Met een lome glimlach omhelsde ze hem. Bijna struikelde hij: haar warme gebaar voelde voor hem als een fysieke klap. Hij droeg haar naar de badkamer en zette haar neer.

'Stap maar in het bad.' Hij draaide zich om naar de woonkamer. 'Maar was je niet. Dat wil ik doen.'

'Ja, meneer,' zei ze plagerig.

Ze boog zich over de badkuip en draaide de kraan open. Hij keek achterom naar haar. Het uitzicht was heel inspirerend. Op een drafje liep hij naar de condooms, deed de voordeur dicht en op slot, en ging toen terug naar Stacey.

Toen hij de slaapkamer binnenstapte, hoorde hij de douche lopen. De gedachte aan het water dat over Staceys wellustige lichaam stroomde, maakte hem helemaal hitsig. Met de punt van een laars tikte hij de automatische ontgrendeling van de andere aan en nam de omgeving in zich op. Lavendelblauwe muren, donkerpaarse fluwelen beddensprei en zwarte vitrage voor witte luikjes gaven de ruimte een exotisch tintje. De sfeer was totaal anders hier dan in haar landelijk ingerichte woonkamer.

Dit zei zoveel over haar – de tweedeling tussen haar openbare ruimtes en haar privéruimte. Zou deze setting een andere kant van Stacey naar buiten brengen? Omdat hij niet kon wachten om dat te ondervinden, liet hij zijn broek omlaag zakken en liep de badkamer in.

Even bleef hij op de drempel staan om zijn omgeving te bestuderen. Net zoals bij alle andere kamers in huis zocht hij naar aanknopingspunten om de vrouw die hier woonde beter te leren kennen. De badkamermuren waren donkerpaars geverfd – net als de sprei in de kamer ernaast; het plafond was vol geschilderd met zilveren sterretjes. Het had iets grappigs.

'Ik ben naakt en jij staat naar het plafond te staren?' vroeg ze geamuseerd.

Hij richtte zijn aandacht op Stacey achter de glazen schuifdeur van de douche. Zoals ze daar stond, in een nevel van stoom, was ze zijn vleesgeworden fantasie. Uitnodigend schoof ze de deur open.

'Ik denk dat het hier te krap voor je is,' zei ze, terwijl ze naar hem knipperde met wimpers vol waterdruppels.

'Ik hou wel van nauwe plekjes,' bracht hij haar in herinnering, terwijl hij naast haar onder de douche ging staan.

Het was een piepkleine ruimte, maar dat vond hij geen punt. Des te dichter stonden ze tegen elkaar aan, en dat was precies hoe hij het hebben wilde.

Ze bracht haar handen omhoog en raakte zijn buik aan. Instinctief spande hij zijn spieren aan.

Met haar tedere vingertoppen ging ze over iedere glooiing van zijn strakke lijf. Knarsetandend en met pijn in zijn hart verdroeg hij haar fascinatie.

'Je bent zo mooi,' fluisterde ze, met iets wat op ontzag leek.

Hij legde zijn handen om haar gezicht en dwong haar om hem aan te kijken. 'Zeg me wat ik moet doen om dit te laten slagen.'

Met waterige, glanzende ogen keek ze naar hem op. Het groen was helder en levendig. Prachtig. 'Connor...'

De berusting in haar stem dreef hem tot waanzin. 'Het moet mogelijk zijn.'

'Hoe dan?' vroeg ze. 'Hoelang ben je weg? Wanneer ben je weer terug? Hoelang blijf je als je er weer bent?'

'Dat weet ik niet, verdomme.' Hij trok haar hoofd naar achteren en verslond haar mond, kneusde hem, nam er bezit van. Snel en diep stootte hij zijn tong naar binnen. Terwijl de steeds dikker wordende stoom om hen heen dampte, klampte ze zich kreunend aan zijn middel vast. 'Als je iets maar graag genoeg wilt...'

'Dan word je gekwetst,' onderbrak ze hem. 'Dat is alles. Het is niet zo dat je het dan krijgt of mag hebben.'

'Bullshit,' zei hij, woedend op zichzelf, op de Oudsten, op de leugens en het bedrog waardoor hij nu weg moest.

'Ik zei het toch. Ik probeerde het je al aan je verstand te brengen.'

Hij wreef zijn wang hard tegen de hare. 'Weglopen is niet de oplossing.'

Ze lachte zachtjes. 'Je bent veel te koppig.'

'Misschien. Maar de gedachte dat ik jou niet heb is onverdraaglijk.'

'Jij bent echt heel goed voor mijn ego.'

'Hou daarmee op.' Hij schudde haar een beetje heen en weer. 'Je moet hier geen grapjes over maken.'

Stacey slaakte een zucht en liet hem los. Hij reageerde door haar op te vangen en al haar natte, heerlijke welvingen tegen zijn hardheid aan te drukken.

'Connor. Deze angstgevoelens zijn niet goed voor ons. Ze zijn niet gezond.'

'Welke angstgevoelens?' zei hij spottend. 'Tienermeisjes hebben angstgevoelens. Ik niet.'

'O, dat komt nog wel.' Ze keek hem recht aan. 'Je hebt nog niet gezien wat Aidan en Lyssa allemaal moeten doormaken. Het gedoe om heel even te bellen bij een tussenlanding. Veel te laat opblijven om maar eventjes de stem van de ander te kunnen horen. De pijn wanneer hij ergens heen moet en wekenlang weg is.'

'Als zij het kunnen, kunnen wij het ook.'

'Nee.' Hoofdschuddend zei ze: 'Zij kenden elkaar al langer; jij en ik zijn vreemden van elkaar. Lyssa is alleen; ik heb een kind en een ex die misschien weer een grotere rol in mijn leven gaat spelen. Aidan werkt voor een plaatselijke verzamelaar; jij werkt voor...' Ze haalde haar schouders op. '...waar je dan ook voor werkt.'

Met vastberaden blik draaide Connor zijn heupen tegen haar aan.

'Heel indrukwekkend argument, hoor,' zei ze plagerig. 'Maar af een toe een potje goeie seks is niet genoeg om twee mensen bij elkaar te houden.'

Verbluft probeerde hij er iets tegen in te brengen, wat jammerlijk mislukte. Hij kon alleen maar kwaad kijken. 'We kunnen het toch proberen.'

'Ik ben het zat om alleen te zijn, Connor.'

Bij de gedachte dat hij haar bij terugkomst met een ander zou aantreffen kon hij wel janken. 'Je zou niet alleen zijn. Ik zou de jouwe zijn, zelfs als ik er niet was.'

'Van een man die zo seksueel is als jij kan niet worden verwacht dat hij zich voor mij inhoudt.'

'Verdomme,' zei hij beledigd. Hij duwde haar van zich af en pakte de fles zeep. Ze moesten de douche uit. In bed zou het wel lukken haar over te halen. Daar kon hij haar kwellen. Haar helemaal gek maken tot ze alles zou doen om hem maar in zich te laten glijden en de leegte te vullen. Hij zou haar helemaal kunnen verpesten voor andere mannen. 'Sorry.' Ze legde haar handen op de zijne toen hij haar borsten omsloot. 'Dat was meer bedoeld als opmerking over mijn tekortkomingen; het ging niet over jou.'

'Tekortkomingen?' Hij snoof. 'Ik hou van neuken. Sterker, het is een van mijn favoriete activiteiten, gevolgd door mijn zwaard slijpen, waar ik meestal aan begin als de lakens nog warm zijn.'

Er ging een mooie, zwarte wenkbrauw omhoog.

'O ja, snoesje,' teemde hij en hij kneep in haar stevige, volle borsten. 'Er doet zelfs een grap de ronde dat mijn grote liefdes mijn zwaarden zijn – het zwaard in mijn handen en dat tussen mijn benen. Na de seks wordt er niet geknuffeld. Vrouwen willen met me naar bed, meer niet. En dat vond ik tot nu toe altijd helemaal prima.'

Hij zag allerlei gevoelens op haar expressieve gezicht verschijnen. 'Ah,' mompelde hij met een glimlach, 'je denkt zeker aan gisteravond, hè? Toen sloeg ik mijn armen om je heen op de bank, viel ik in slaap met jou in mijn armen. Een paar minuten geleden heb ik je nog geknuffeld en zelfs op dit moment kan ik niet van je afblijven.'

Hij pakte haar hand, trok hem omlaag en legde zijn erectie erin. 'Dat is seksuele interesse.' Hij trok haar hand weer omhoog en legde hem op zijn hart. 'Deze beklemming in mijn borstkas, die je niet kunt zien? Dat is iets wat ik nog nooit eerder heb gevoeld. Jij hebt iets wat niemand anders heeft. Jij hebt geen tekortkoming, schatje. Jij hebt een voorsprong.'

Staceys lippen begonnen onrustbarend te trillen. De knoop in zijn maag werd strakker.

'Bij jou kwam het niet eens in me op om naar mijn zwaard te grijpen,' zei hij.

Ze bedekte haar mond.

'Nou ja, niet het metalen zwaard,' corrigeerde hij korzelig. Hij had in de gaten dat hij de hele boel liep te verknallen, maar wist niet hoe hij het weer recht kon breien. 'Ik bedoel mijn andere zwaard... Ik bedoel dat ik dacht aan het grijpen van dát zwaard...'

Ze vertrok haar prachtige gezicht en hij smeekte: 'Niet huilen!'

Hij sloeg zijn armen om haar heem en klopte ongemakkelijk op haar rug. 'O, man. Wat ben ik hier slecht in. Ik wil je geen rotgevoel geven. Ik bedoelde het als compliment. Het is mijn probleem dat ik gek op je ben, niet het jouwe. Ik...'

Ze drukte haar lippen vurig op zijn tepel en liet er vervolgens met een trage, verhitte lik haar tong overheen gaan. Hij verstijfde. Met grote ogen keek hij omlaag naar haar.

Ze zat hem uit te lachen.

'Dat was prachtig,' zei ze quasi-snikkend, met haar handen op zijn billen.

Hij trok zijn wenkbrauwen omhoog. 'O ja?'

'O ja. Ik weet bijna zeker dat ik een man nog nooit een beklemming in zijn borstkas heb gegeven.' Haar glimlach was een pure zonnestraal. 'Het bevalt me wel.'

'En het andere gedeelte?'

Stacey moest lachen. 'Je weet maar al te goed hoe blij ik ben met dat andere gedeelte.' Uitdagend begon ze zachter te praten. 'Als we snel zijn en nu de douche uit gaan, zal ik je laten zien hoe erg.'

Daar dacht hij even over na, een beetje verloren in het spervuur van emoties dat hij voelde. Iets wat leek op blijdschap, misschien hoop. Hij hield zijn verwarring verborgen door haar te plagen. 'Je gebruikt me toch niet alleen maar voor mijn lichaam, hè?'

'Natuurlijk wel.' Met haar beide handen omsloot ze zijn ballen. 'Maar als je weg bent en ik wanhopig naast de telefoon zit te wachten, zal ik heus niet alleen maar aan je zwaarden denken.'

Op haar aandringen liep Stacey achter Connor aan de badkamer uit. Ze wilde zijn naakte achterkant zien. Gelukkig voor haar was het uitzicht meer dan de moeite waard. De man had prachtige benen, goed gevormd door al die zware inspanningen, lang en gespierd. Zijn billen waren de perfecte bekroning: strak en stevig. Bij elke stap spanden ze zich aan. Met aan elke kant een kuiltje.

Jammie.

En daar, tussen zijn benen, zo nu en dan een glimp van zijn zware ballen. Ontbloot. Verrukkelijk. Misschien had ze, als hij geen stijve had, de eikel van zijn pik ook kunnen zien, maar die stond rechtovereind. Klaar. Voor haar.

Waar had ze dit aan te danken? Het was te mooi om waar te zijn. Er moest toch wel iets aan hem mankeren. Stacey Daniels had nooit een perfecte man. Er zat altijd wel ergens een steekje bij ze los. Ze hadden allemaal iets gestoords, wat een relatie in de weg stond. Zoals Tommy, die een 'groen' leven wilde leven in de woestijn en verwoede pogingen deed om te overleven op zonne-energie en regenwater. Stacey was ervan overtuigd dat het gen dat een man vanbuiten aantrekkelijk maakte, vanbinnen ook mislukte hersencellen creëerde.

Ze slaakte een zucht. Connor was mega-aantrekkelijk, de mooiste man die ze ooit had ontmoet. Zijn achterkant was al perfect, maar kon niet tippen aan de voorkant. Wat waren zijn gebreken? Het feit dat hij moeilijk over zijn gevoelens sprak? Nou, van honingzoete woordjes moest ze niks hebben. Eerlijkheid was veel belangrijker dan welbespraaktheid.

Connor liep naar haar bed, draaide zich naar haar toe en nam haar in zijn grote gespierde armen.

Ze vond het heerlijk zich zo klein te voelen. Zo beschermd en gekoesterd.

'Dat was geil,' gromde hij.

'Hmm?' Ze deed haar ogen dicht en genoot van het gevoel van zijn harde lichaam tegen het hare. Het lichte dons-laagje op zijn borstkas kietelde haar tepels en de geur van zijn huid, die ze dwars door de zeep heen rook. Het deed vreemde dingen met haar hartslag.

'Voelen hoe je naar me keek.'

'Je bent prachtig,' fluisterde ze, terwijl ze haar ogen net ver genoeg opendeed om hem te kunnen zien.

'Tot vandaag zag ik mijn uiterlijk altijd als een handig middel om vrouwen het bed mee in te krijgen.'

Stacey lachte zachtjes. Ze waardeerde zijn onbehouwen openheid. 'Dat geloof ik direct.'

Met zijn stevige lippen streelde hij langs haar slaap. 'Maar nu ben ik dankbaar dat ik qua uiterlijk jouw type ben.'

'O, ja.' Ze beet zachtjes in zijn kin. 'Dat zeker.'

Abrupt draaide Connor zich om en hij gooide haar op de sprei. Met een gilletje viel ze neer en toen lag hij boven op haar, kroop over haar heen in harde, wellustige mannelijk-heid. Hij begon met een likje tussen haar tenen, kuste ver-volgens haar enkel en tilde toen haar been op om aan haar knieholte te knabbelen. Het kietelde, wat haar deed lachen.

'Ik word geil van dat gegiechel van jou,' gromde hij en toen zweeg hij om haar aan te kijken.

Stacey rolde met haar ogen en zei: 'Jij wordt overal geil van. Je bent een seksmachine.'

'O ja?' Hij greep haar bij de binnenkant van haar dijen en spreidde haar benen, waarbij hij haar aan zijn blik onderwierp. 'Ik kan me anders nog maar al te goed herinneren dat ik een taxi probeerde te bellen en jij me toen aanviel en seks eiste.'

'Nadat jij er ik weet niet hoelang om had gezeurd!' Ze slikte een lachje in toen hij een wenkbrauw naar haar optrok. Ze vond het al ongelofelijk dat ze in staat was een gesprek met hem te voeren terwijl hij met die wolfachtige grijs in zijn ogen boven haar poesje hing. Nog nooit eerder had ze grapjes gemaakt in bed. Ze vond het leuk.

'Dus het feit dat jij tegen mij zei: "Hier kom je niet onderuit," noem jij zeuren?'

'Het zeuren was van daarvoor.'

Connor snoof. 'Ik heb nog nooit in mijn leven bij een vrouw om seks hoeven zeuren.'

'Je verzette je ook niet bepaald toen ik eenmaal toegaf,' bracht ze in herinnering, terwijl ze plagend haar tong uitstak.

Zijn blauwe ogen werden donkerder en raakten verhit door wat ze zagen. 'Toegaf?' zei hij spottend. 'Ik ben een man, schatje. Als je ons een prachtig poesje opdringt, zullen we dat nooit weigeren.'

Haar mond viel open en ze verslikte zich bijna in haar lach. 'Ik heb écht niet mijn poesje aan je opgedrongen.'

'Ehm... ja hoor.' Hij knipoogde. Dat in combinatie met zijn jongensachtige glimlach bracht haar helemaal aan het wankelen. 'Wel waar. Nymfomane. Jezus, ik krijg ook geen moment rust hier. Gisteravond seks. Vandaag seks. Nu ook weer seks…' Hij slaakte een theatrale zucht.

'Och, het laatste wat ik wil is jouw einde bespoedigen via seks,' zei ze en ze sloeg haar armen over elkaar. 'Laten we maar taart gaan eten.'

Connor deed of hij een pruillip trok. 'Ik wilde eigenlijk iets anders in mijn mond stoppen.'

Ze begreep direct wat hij bedoelde. 'Nee hoor. Hoeft niet. Deze nymfomane heeft ineens helemaal geen zin meer in neuken.'

Een complete leugen. Ze was nat en gezwollen. Toen hij sceptisch omlaagkeek en vervolgens grijnsde, wist ze dat hij het kon zien.

'Ik kan je wel in de stemming brengen, hoor,' zei hij poeslief.

'O, alsjeblieft zeg.' Ze deed of ze gaapte.

Zijn diepe gegrom maakte haar aan het lachen.

'Dat zet ik je betaald,' dreigde hij, en hij begon haar te kietelen.

'Ah! Hou op!' Ze probeerde van hem weg te rollen, maar kwam alleen maar op haar buik te liggen, wat hem des te beter van pas kwam.

Onmiddellijk boog hij zich over haar heen en hij lachte. Láchte. Met zijn lippen tegen haar oor zei hij: 'Ik ga je laten smeken.'

Stacey huiverde van de opwinding. 'O ja? Dat wil ik je wel eens zien proberen.' En of ze dat wilde!

'Proberen komt er helemaal niet aan te pas, schatje.' Hij

likte aan haar oorschelp en stak toen zijn tong naar binnen. Ze werd steeds heter en natter. Alsof hij het wist, stak hij zijn hand tussen haar benen en streelde haar. 'Wat lekker,' zei hij. 'Je bent al helemaal geil.'

'Nee hoor.' Ze snakte naar adem toen hij haar clitoris aanraakte en er in zachte rondjes overheen wreef.

Hij maakte een sceptisch geluidje en ze begroef haar glimlach in haar kussen. Ze voelde hem bewegen, voelde het bed heen en weer bewegen en vervolgens zijn tong, heet en ruw, over de lengte van haar rug gaan. Ze hapte naar adem en kronkelde van het tegelijkertijd kietelende en opwindende gevoel. Connor hield haar heupen stil en likte het kuiltje op haar onderrug. 'Niet zo wiebelen,' beval hij haar.

'Ik hoopte eigenlijk dat je opzij zou gaan zodat ik kon opstaan om wat taart te gaan halen.'

Connor gromde iets en beet in haar bil. Toen draaide hij haar om, bracht zijn pik omlaag en drong bij haar naar binnen.

Stacey kreunde en kromde haar rug. God, wat voelde dit goed. Hij was overal enorm, zelfs daar, en het gevoel tot het uiterste te worden uitgerekt was ongelofelijk. Hij zette zijn handen aan weerszijden van haar hoofd en keek op haar neer. Het zag er intimiderend uit, maar de warme geamuseerdheid in zijn ogen sprak het stoere beeld tegen.

'Zo heerlijk strak...' zei hij en hij draaide zijn heupen verder in de hare. 'Ik zou dit de hele dag wel kunnen doen.'

Ze snakte naar adem toen hij zich in haar aanspande. 'Als je je best doet, krijg je me misschien wel zover.'

Langzaam trok hij zich terug. Toen gleed hij met een gekmakende traagheid in haar terug. 'Ik dacht dat je taart wilde.'

'Ehm... ik ben van gedachten veranderd.'

Connor ging op en neer in haar. Terwijl hij haar langzaam en enorm vaardig neukte, deed ze zachtjes kreunend haar ogen dicht. Hij kwam omhoog, ging op zijn knieën zitten en legde haar benen op zijn gespierde dijen, terwijl hij heen en weer wiegde. Het dikke kopje van zijn pik wreef langs haar binnenste, streelde een aantal zenuwen waardoor haar tepels hard werden en omhoogkwamen. Hij gaf een harde stoot en ze schreeuwde het uit toen hij helemaal in haar zat, haar tenen krullend van de mengeling van genot en pijn.

'Wat zit je diep,' zei ze zachtjes, terwijl ze haar borsten vastpakte om de gezwollen pijn te verzachten.

'Ik wil nog dieper.' Met zijn buik strak aangespannen greep hij haar bij haar heupen; en hij ging nog verder, terwijl hij zijn heupen tegen haar aan liet draaien. De onderkant van zijn pik was nog dikker, waardoor haar clitoris omlaag kantelde en er nog meer wrijving ontstond.

'Connor!' Ze was haast buiten zinnen, kon de diepte en zijn lome tempo gewoonweg niet aan. Het was ongelofelijk lekker. Onmogelijk lekker. Nog een paar van die strelingen en dan kreeg ze het orgasme van haar leven. 'Ja... o, ja...'

Hij trok zich terug en liet zich van het bed af glijden.

Stacey worstelde zich overeind en staarde hem leunend op haar ellebogen aan. 'Waar ga je heen?'

Hij keek achterom en knipperde onschuldig met zijn ogen. 'Ik ga even wat taart voor je halen. Daar had je toch zo'n zin in?'

'J-je… w-wat… nú…?'

'Ik zou je niet tot seks willen dwingen.'

'Kom terug!'

Hij grijnsde en bleef bij de deur staan, waar hij schaamteloos tegen de deurpost aan hing. Spiernaakt met een keiharde stijve, was hij een verrukkelijk plaatje. 'Nymfo,' zei hij plagerig.

'Kom op nou!' probeerde ze hem ongeduldig over te halen. 'Alsjeblieft.'

'Hoor ik daar nou iemand smeken?'

Ze kneep haar ogen samen. 'Kom. Hier. Nu.'

Hij sloeg zijn armen over elkaar en bestudeerde haar aandachtig. 'Wat ga je doen als je geil bent en ik er niet ben?'

'Met mezelf spelen,' zei ze luchtig. 'Maar dat is lang niet zo leuk als met jou spelen – en nu ben je er.'

'Doe het,' drong hij aan, terwijl hij zijn hete blik over haar zinnelijk gespreide benen liet gaan. 'Ik wil kijken.'

Daar dacht ze even over na, terwijl ze keek hoe hij haar observeerde. Uit de manier waarop zijn mond lichtjes openging en zijn ademhaling versnelde kon ze opmaken dat hij opgewonden raakte bij het idee haar te zien masturberen.

'Ga je je als je weg bent aftrekken als je hieraan terugdenkt?' vroeg ze, terwijl ze met haar gestrekte vingers door de vochtige krulletjes van haar schaamdeel ging.

Connor likte aan zijn lippen. Hij pakte zichzelf vast. 'Ik sta klaar om het hier en nu te doen.'

Ze liet haar vingertoppen op haar gezwollen clitoris rusten en wreef er in trage rondjes overheen. Ze huiverde, zowel van het gemis van zijn lichaamswarmte als haar groeiende opwinding. Om een orgasme te bereiken zou ze sneller moeten gaan, maar dat was niet het doel hiervan. Ze wilde Connor opgeilen, opdat hij terug zou komen om af te maken waar hij aan begonnen was. Ze kreunde, en zijn hele lichaam schokte.

'Fuck,' zei hij schor, terwijl hij rechtop ging staan.

'O!' Ze liet haar hoofd naar achteren vallen en stak haar borsten omhoog. Ze ging harder en een beetje sneller wrijven, waarna ze haar vingers verder omlaagbracht om ze nat te maken met het vocht uit de spleet van haar poesje, en ze vervolgens weer omhoogbracht om haar bewegingen mee te smeren.

Toen voelde ze zijn vingers, waar hij stotend mee bij haar naar binnen drong. Waar hij haar mee neukte. Ze hijgde en kronkelde; hij stond naast haar. Zijn prachtige gezicht liep rood aan, zijn kaaklijn verstrakte, zijn irissen werden door zijn verwijde pupillen opgeslokt. Al zijn aandacht lag tussen haar benen, waar hij haar vakkundig vingerde. Zijn pik was keihard, het puntje vuurrood en glinsterend van het sperma dat eruit lekte.

'Laat me je pijpen,' stelde ze voor, watertandend bij de gedachte.

Met een ruw, raspend geluid kwam Connor terug naar het bed, waar hij in de lengte op ging liggen met zijn pik naast haar mond, haar poesje naast zijn borstkas. Ze draaiden zich met hun gezicht naar elkaar toe, hun lengte was zo ongelijk, maar perfect hiervoor.

Stacey greep zijn geweldige pik met twee handen vast en bewoog hem naar haar wachtende mond. Met haar tong raakte ze het puntje en hij vloekte heftig, maar zonder het ritme van zijn vingers te verliezen. Hij gooide zijn eeltige duim nu ook in de strijd, en oefende precies genoeg druk op haar clitoris uit om haar te laten klaarkomen.

Met een gedempte schreeuw kwam ze klaar, met volle mond, terwijl ze haar tong vliegensvlug over het gevoelige plekje vlak onder de kroon van zijn pik liet gaan. Hij brulde haar naam, terwijl hij keihard klaarkwam en zijn heupen in orgastische razernij tegen haar aan drukte. Stacey nam het allemaal in zich op, tot op de laatste druppel, terwijl ze met ingezogen wangen bleef zuigen, alles vol genot haar open keel in liet glijden.

'Genoeg, schatje,' mompelde hij hees. 'Je vermoordt me nog.'

Stacey liet hem pas los toen hij haar hoofd zachtjes wegduwde. Hij kwam naast haar liggen, nam haar in zijn armen en sloeg zijn been over het hare.

Ze voelde zich gekoesterd, legde haar wang tegen zijn hart dat als een dolle tekeerging en viel in slaap.

Hoofdstuk 11

Het duurde even voordat Connor begreep wat hem had gewekt. Hij was meteen alert en gleed weg van Staceys warme lichaam toen het tot hem doordrong: er klonken voetstappen die de voordeur naderden. Het raam achter het gietijzeren hoofdeind keek uit over de andere kant van de veranda. Hij trok de zwarte vitrage opzij om door de luikjes te kijken.

Aidan en Lyssa liepen het trappetje op.

Met een binnensmondse vloek draaide hij zich om en pakte zijn broek.

'Wie is het?' vroeg Stacey met slaperige stem.

'Paps en mams,' mompelde hij.

'Huh? O… Bah.' Ze kwam overeind en zag er verfomfaaid uit, het was te zien dat ze een goede beurt had gehad – gezwollen lippen van het kussen, blosjes op haar wangen, rozige huid. 'Denk je dat het helpt als we zeggen dat ze zich met hun eigen zaken moeten bemoeien?'

'Dat is ze geraden.' Hij deed zijn rits dicht en stak een hand naar haar uit. Terwijl hij haar uit bed trok, liet hij een bewonderende blik over haar lichaam gaan, pakte een borst vast en kuste haar vol passie. 'Kleed je maar aan, ik doe wel open.'

Hij draaide zich van haar af en ze gaf hem een tikje op zijn billen. 'Ja, meneer.'

Met een quasi-spottende blik keek hij achterom, liep toen de slaapkamer uit, ging de gang door en haalde de voordeur van het slot.

Aidan wierp één blik op zijn ontblote bovenlijf en blote voeten. Hij fronste zijn wenkbrauwen. 'Klootzak.'

'Eikel,' antwoordde Connor.

'Ik ben niet voor hem verantwoordelijk,' zei Aidan tegen Lyssa. 'Als hij het verknalt, is het niet mijn schuld.'

Ze aaide over zijn arm. 'Rustig maar, liefje.'

Connor schonk Lyssa een glimlach. 'Hoi.'

De glimlach die hij terugkreeg was net zo lief als zijzelf. 'Hoi. Ik ruik appeltaart.'

Lachend deed Connor een stap naar achteren. Hij zette de deur wagenwijd open. Het was laat in de middag, de tijd waarop de hemel meer oranje dan blauw was en het warmste deel van de dag achter hen lag. 'Stacey gaat hem vast zo aansnijden. Ze heeft het de hele dag al over die taart.'

'Ben je hier soms ingetrokken?' beet Aidan hem toe.

'Jezus, man.' Connor schudde zijn hoofd. 'Jij moet nodig een beurt hebben. Of heb je je vitamines niet geslikt?'

'Een beurt heeft hij niet nodig, hoor,' verzekerde Lyssa hem met een grijns.

'O jawel,' zei Aidan, 'en als jij dat voor mij verziekt, Bruce, dan ben je nog niet jarig.'

'Wow.' Connor trok zijn beide wenkbrauwen op. 'Goed

bezig, Lyssa. Hij is als de dood om je op de kast te krijgen.'

Uitdagend haalde ze haar schouders op. 'Ach ja, wat kan ik zeggen?'

'Ha, doc.' Stacey kwam uit de gang de woonkamer binnen. 'Wil je wat appeltaart?'

'Zei ik toch,' zei Connor.

'Kan ik je even spreken, Bruce?' Aidan klonk gespannen. Hij maakte een gebaar naar de voordeur.

'Dat weet ik niet. Kun je dat?' Connor stak zijn handen in zijn zij. 'Je ziet er niet uit alsof je tot een gesprek in staat bent. Het lijkt alsof je wilt zeiken.'

Even bleef Aidan staan, roerloos en gespannen. Toen verscheen er een zweem van een glimlach om zijn mond. 'Alsjeblieft.'

'Aah, oké dan.'

'Zal ik een stuk voor je afsnijden?' riep Stacey hem na.

'Zeker weten.' Hij knipoogde naar haar. 'Ik wil wel wat proeven van die taart-die-beter-is-dan-seks.'

'Dat heb ik helemaal niet gezegd!' sputterde ze blozend.

'Dan speelt er dus kennelijk toch niks tussen jullie,' plaagde Aidan. 'De taarten van Stace zijn lekker, maar zó lekker nou ook weer niet.'

'Oppassen jij.'

Aidans lach vloog achter Connor aan, die door de hordeur de veranda op liep. Connor ging bij de reling staan en zei: 'Voor je helemaal losgaat, mijn seksleven gaat jou dus echt geen reet aan.'

'Daar hebben we het later wel over. Eerst moet ik je vertellen wat er is gebeurd toen ik wakker werd.'

Aidan klonk opgewonden, waardoor Connor zijn oren spitste. 'O ja?'

'Ik vond een brief die ik aan mezelf heb geschreven.'

Connor knipperde met zijn ogen. 'O-ké…'

'In mijn slaap.'

'Wager.' Bij die gedachte kwam er een diepe bewondering in Connor op. De luitenant was listig en vindingrijk, twee eigenschappen die iedere officier bij zijn soldaten zou waarderen.

'Ja. Ik heb hem altijd al gemogen. Slim joch.'

Wager was een paar eeuwen te oud om nog voor joch door te gaan, maar Connor begreep wat hij bedoelde.

Aidan haalde een hand door zijn haar. In de Schemering had hij het altijd kort gehad. De zwarte lokken waren nu langer dan Connor ze ooit had gezien. Ze maakten het gezicht van de kapitein zachter, en dat paste goed bij de gelukkige uitstraling die hij steeds kreeg als hij naar Lyssa keek. Hij was een andere man dan eerst, een voorheen hopeloze man die nu weer hoop had.

'Wat stond erin?' vroeg Connor.

'Hij had sporen gevonden van een bug in de bestanden die jij vanuit de tempel hebt gedownload.' Aidan liep naar de schommelbank en ging zitten.

Connor draaide zich om en ging tegen de reling aan staan. 'Een búg?'

'Ja, een virus of Trojaans paard dat alles wat de Oudsten deden heeft gemonitord.'

'Afgeluisterd?'

Aidan keek hem bars aan. 'Ja.'

'Dus alles wat wij weten, weet iemand anders ook?'

'Daar lijkt het wel op.'

Connor greep zich vast aan de houten latten achter zich en keek over het grasveldje aan de zijkant naar de tuin van de buren. Hij slaakte een diepe zucht. 'Enig idee hoelang die bug er al was?'

'Dat stond niet in de brief. Wager trekt het na, maar waarschuwt ons dat het wel even kan duren. En hij kan niets garanderen.'

'Nou, er is dus nóg iemand die de Oudsten niet vertrouwt. Misschien is dat in ons voordeel.'

'Of misschien niet.'

'Dat kan ook.'

'In de brief stond bovendien dat jouw dromen met Sheron wel eens echt konden zijn. Wager heeft een bestand over een programma dat "droominval" heet. Iets over dromen versterken met informatie die herinnerd kan worden. Dat is hij ook aan het uitzoeken.'

'Arme kerel,' mompelde Connor. 'Hoe is die ooit bij de Elite terechtgekomen? Zijn hersenen zullen zich wel kapot vervelen bij al die borstklopperij daar.'

Aidan moest lachen. 'Hij is veel te opvliegerig voor bureauwerk. Ik heb hem ooit gevraagd waarom hij bij de

Elite was gegaan. Hij zei dat het zijn grote liefde was; de rest was allemaal maar hobby.'

'Lekkere hobby dan.'

Door het diepe motorgeluid van een auto werd hun blik naar de weg getrokken. Vlak achter het gaas dat om Staceys tuin stond reed een zwarte sedan met getinte ramen langzaam voorbij, om uiteindelijk de oprit op te komen.

De hordeur ging open en de meisjes kwamen het huis achterstevoren uit gelopen, met een klein dessertbordje op elke hand. Beide mannen keken maar heel even hun kant op.

'Wie is dat?' vroeg Stacey, toen ze zag dat zowel Connor als Aidan een meer dan gewone interesse voor het naderende voertuig leken te hebben.

Aidan stond op en keek haar fronsend aan. 'Herken je de auto niet?'

Ze schudde haar hoofd.

'Ga naar binnen,' beval Connor, en hij ging tussen haar en de bezoeker in staan. Even overwoog Stacey of het zin zou hebben om hem erop te wijzen dat ze er niet van hield te worden rond gecommandeerd. Uiteindelijk liep ze langs Connor. De twee stukken taart die ze vasthad, zette ze boven op de smalle reling.

'Dit is míjn huis,' zei ze. 'Wie het ook is, iemand wil mij zien. Of misschien is onze bezoeker verdwaald. Waarschijnlijk verdwaald, want...'

'Ik regel dit wel, Cross,' onderbrak Connor haar vastberaden. 'Let jij op Lyssa?'

Stacey viel stil toen Aidan opsprong en Lyssa ruw naar binnen duwde.

Connor greep haar bij haar arm en trok haar achter zich terwijl de auto langzaam tot stilstand kwam en het achterportier openging. Stacey gaf hem een mep, omdat ze het weliswaar heerlijk vond dat hij zo beschermend was, maar er ook door werd geïrriteerd. Te veel was te veel en...

Haar mond viel open toen er een vrouw van de achterbank stapte die zo mooi was dat Angelina Jolie er compleet bij in het niet viel. Ze had zwart haar en groene ogen, net als Stacey, maar in tegenstelling tot Stacey was ze lang en slank. Ze had de afgetrainde spieren van een bodybuilder, en was adembenemend mooi – gezegend met een perfect symmetrisch gezicht en een lichtgetinte huid. Haar kleding, een grijze mouwloze tuniek en los zittende broek, deed Stacey denken aan de kleren die Connor droeg toen hij op Lyssa's stoep had gestaan.

'Ik heb geen idee wie dat is,' zei Stacey.

'Kapitein Bruce,' riep de vrouw ter begroeting, met een glimlach die Stacey kippenvel bezorgde. Ze had hetzelfde accent als Connor en Aidan. Stacey voelde zich uiterst ongemakkelijk.

'Ken je haar?' vroeg Stacey, terwijl de moed haar in de schoenen zonk. Tegen deze vrouw zou ze nooit op kunnen.

'Rachel,' antwoordde Connor.

De barse klank in zijn stem maakte Stacey er niet geruster op. Ja, ze vond het absoluut fijn dat hij niet blij was om

Rachel te zien, maar aan de andere kant was ze ook niet dol op dramatische scènes.

'Kijk nou hoe schattig je je mensenliefje beschermt,' teemde Rachel, terwijl ze haar arm elegant op het open portier liet rusten. 'Ik heb altijd al gezegd dat de behoefte aan seks een zwakte was waar alleen de mannelijke leden van de Elite last van hebben.'

'Waar heeft ze het verdomme over?' mompelde Stacey. 'Wie is dat?' Ze zette grote ogen op. 'O mijn god! Je bent toch niet getrouwd, hè?'

'Wat?' blafte Connor. 'Met háár? Ben je niet goed bij je hoofd?'

'Met iemand anders dan?'

'Nee!'

Rachel schraapte haar keel. 'Pardon. Kunnen jullie je ruzietje misschien voortzetten nadat ik mijn zaakjes heb afgerond? Ik heb nog een lange autorit voor de boeg en zou graag dadelijk weer op weg gaan.'

Aidan kwam terug. Hij gaf iets aan Connor en keek toen naar Stacey. 'Je moet naar binnen, Stace.'

Stacey keek naar het object in Connors hand en begon het te begrijpen.

'O, ik snap het al!' Ze grijnsde schaapachtig. 'Dit gaat om het zwaard!'

'Schatje,' beet Connor haar tussen opeengeklemde tanden toe. 'Ga verdomme naar binnen. Nu.'

'Bazige typjes, hè?' teemde Rachel lachend. 'Kom maar

met mij mee hoor, schat. Ik heb nog wel wat… vrienden… die het enig zouden vinden om je te ontmoeten.'

'Over mijn lijk, Rachel,' zei Connor.

Rachel sloeg haar haar over haar schouder en lachte. 'Inderdaad! Is het niet heerlijk? Ik kon niet wachten tot de Sleutel was gevonden, maar nu ik jou en Cross er op de koop toe bij krijg, ben ik helemaal verzoend met het oponthoud.'

Stacey was het spoor volkomen bijster. Ze liet haar blik naar de man achter het stuur gaan. Hij leek net een figuur uit *Men in Black*: zwart pak, nog zwartere zonnebril. Er was iets aan hem wat hem nog vreemder maakte dan Rachels Cruella de Ville-uitstraling, ook al verroerde hij zich niet en was er niets van zijn gezicht af te lezen.

'Maar als ik de Sleutel nu zou opeisen zou ik het paard achter de wagen spannen,' zei Rachel met een achteloze wenk. 'Dus je kunt nog wel even van je ongelukkige menselijke wezens blijven genieten.'

'Wat bedoelt ze toch met "menselijke wezens"?' fluisterde Stacey duidelijk hoorbaar. Ze had een hartgrondige hekel aan die andere vrouw. Rachel was echt zo ontzettend zelfvoldaan en vals. En met de manier waarop ze Connor en Aidan op scherp zette won ze ook geen punten.

'Wat wil je?' vroeg Connor. Hij ging bij het trappetje staan alsof hij iedereen de weg tot het huis wilde versperren. Zijn getrokken zwaard had een uiterst intimiderend effect. Op Stacey tenminste.

'Je hebt iets wat van mij is, Bruce. Ik wil het terug.'

Hij kwam de eerste trede af. 'Val dood.'

Rachels grijns werd breder. 'Ik zou nooit met lege handen langskomen, dat weet je toch?'

'Laat jij eerst maar eens zien wat je hebt,' gromde Connor, waarna hij zijn hoofd omdraaide en Aidan toesiste: 'Breng haar naar binnen!'

Meedogenloos greep Aidan haar bij haar bovenarm en trok haar naar de deur.

'Goed dan.' Stacey ging. 'Maar ik kijk door het raam wat er gebeurt.'

'Ik wil de drie-eenheid,' eiste Rachel.

Connor haalde zijn schouders op. 'Geen idee wat dat is. Het lijkt erop dat je vette pech hebt.'

Stacey bleef bij de deur staan. 'Hou op met haar uit te dagen! Ze is niet goed wijs.'

'Misschien helpt dit om je geheugen op te frissen,' zei Rachel. Ze keek naar de achterbank. 'Stap eens uit.'

Het andere achterportier ging open en er stapte een man uit.

'O mijn god,' fluisterde Stacey. Haar hand viel van de deurklink toen ze de man in zwarte coltrui en skibroek herkende. 'Dat is Tommy! Wat heeft die in godsnaam bij hen te zoeken?'

De spanning in Connors uit de kluiten gewassen lichaam was duidelijk te zien. 'Cross… dat is Staceys ex.'

Tommy stond naast de auto. Er lag een wezenloze blik in zijn ogen.

Het volgende ogenblik kwam de bestuurder in beweging. Hij boog zich naar de passagiersstoel en trok een geknevelde figuur met een prop in zijn mond naar voren zodat hij goed te zien was.

Stacey schreeuwde en kromp ineen toen ze Justins doodsbange ogen en zijn door tranen bevlekte gezicht zag.

Rachels glimlach was huiveringwekkend. 'Goed, dat heb ik dus bij me. En hij zal bij mij blijven tot jij mij de drie-eenheid teruggeeft.'

In een opwelling rende Stacey naar de trap en haar zoon. Connor stak zijn arm bliksemsnel uit en duwde haar terug. Woedend en gefrustreerd schreeuwde ze het uit. Ze rende wild met haar armen maaiend naar beneden, buiten adem toen Aidan haar te pakken kreeg en haar worstelende lichaam met stalen armen vasthield. Ze draaide en kronkelde, schopte als een dolle, maar hij was te groot en te sterk.

Rachel voelde in haar zak en haalde er een mobieltje uit. Dat gooide ze naar Connor, die het opving en tegen zijn borst hield. 'Ik bel je met instructies.'

'Als die jongen iets overkomt,' waarschuwde Connor met lage stem en in volle ernst, 'dan martel ik je voor ik je vermoord.'

'Ooo!' Ze schudde even met haar schouders, en het gebaar deed haar op een heks lijken. 'Klinkt heerlijk.' Haar mooie gezicht verhardde. 'Ik wil die drie-eenheid, Kapitein. Zorg ervoor dat ik hem krijg, of de jongen zal ervoor boeten.'

'Neeeeee!' Het geluid dat uit Stacey ontsnapte was niet menselijk. Het was een dierlijke kreet, vol pijn en frustratie. Ze worstelde in Aidans vaste greep. Trekkend en krabbend probeerde ze zich te bevrijden. 'Justin!'

Vol afschuw keek ze hoe haar zoon worstelde, net als zij in paniek. Justin bracht zijn geknevelde handen omhoog en haalde uit, waarbij hij de zonnebril van de neus van zijn kaper sloeg. Het gezicht dat eronder tevoorschijn kwam deed haar hart bijna stilstaan. De man haalde uit en sloeg Justin bewusteloos. Toen draaide hij zijn zwarte blik naar Stacey en grijnsde met een gapende holte vol schots en scheve tanden, genietend van haar pijn en walging.

Haar geschreeuw weergalmde om hen heen. Toen legde Aidan zijn hand op haar mond om haar het zwijgen op te leggen, terwijl hij met lage stem tegen haar bleef mompelen.

Waarom deden ze nou niks? Waarom lieten ze die trut terug haar auto in stappen en de deur dichtdoen? Waarom bleef Tommy daar staan, zonder ook maar te knipperen met zijn ogen toen de auto achteruit de oprit af reed met hun kind erin? Waarom hield Aidan haar tegen, met zijn hand op haar mond, terwijl hij kalmerend tegen haar praatte alsof al zijn beloftes over veiligheid en vergelding haar tot bedaren zouden brengen?

Het ding in de bestuurdersstoel reed weg met haar kind, en zij kon alleen maar toekijken, gevangen in de armen van iemand die ze tot nu toe als een vriend had beschouwd.

Aidan bleef haar omknellen tot de auto uit het zicht was verdwenen. Toen pas liet hij haar los. Haar benen trilden zo erg dat ze struikelde en op haar knieën neerviel, maar ze sprong direct overeind en vloog langs Connor. Ze duwde hem opzij toen hij haar probeerde tegen te houden. Ze rende naar Tommy en begon hem te slaan, schreeuwde naar hem, schudde hem door elkaar. 'Godvergeten junk!' gilde ze, terwijl ze hem met al haar kracht een klap in zijn gezicht gaf. 'Waardeloze nietsnut!'

Toen begon ze te rennen, te rennen voor het leven van haar zoon, de hele tuin door, achter de sedan op straat aan. Die verdween al snel uit zicht, maar ze stopte niet. Ze kon niet stoppen. Ze bleef rennen tot ze niet meer kon, op de grond neerviel en huilde. Jammerde. Snikte.

'Stacey.' Connor knielde naast haar neer, met rode betraande ogen vol medeleven.

'Nee!' riep ze. 'Jij mag n-niet huilen. Jij hebt ze hem l-laten meenemen...' Ze sloeg op zijn ontblote borst, en timmerde er met haar vuisten tegenaan. 'Hoe k-kon je hem n-nou laten m-meenemen? Hoe kon je?'

'Het spijt me,' fluisterde hij, zonder een poging te doen zich tegen haar aanval te verdedigen. 'Het spijt me zo, Stace. Ik kon niets tegen ze beginnen. Als er een manier was geweest waarop ik hem levend had kunnen terughalen, had ik het direct gedaan. Je moet me geloven.'

'Je probeerde het niet eens!' snikte ze. 'Je probeerde het niet eens.'

Op zijn schoot stortte ze in, met haar wazige blik ge-fixeerd op de straat. Hij was op blote voeten. Er zat bloed op van het achter haar aan rennen. Dat trof haar diep, en was olie op de golven van haar woede.

Connor tilde haar op en droeg haar terug. Het ontbrak haar aan puf om zich te verzetten, maar in zijn omhelzing was geen troost te vinden.

Haar lieve kind was weg.

Hoofdstuk 12

Lyssa lag op de bank te huilen toen Connor het huis binnenkwam met Stacey. Aidan liep te ijsberen. Tommy zat met ducttape vastgebonden in een stoel naast de deur: Staceys ex was niet te vertrouwen nu zijn hoofd in verbinding met de Schemering stond. De Oudsten hadden ooit geprobeerd om Lyssa door een slaapwandelaar te laten vermoorden. Dat had duidelijk gemaakt welke gruwelijke dingen er mogelijk waren.

Connor voelde zich hulpeloos, en dat kwam zijn geestelijke gezondheid niet bepaald ten goede. Hij kon er niet tegen dat Stacey pijn leed, het maakte hem bijna gek van bloeddorst en rusteloze woede.

'O god, Stace!' Lyssa kwam overeind toen de hordeur zachtjes achter hen dichtviel. Ze vloog op haar beste vriendin af en omhelsde haar zodra Connor Stacey op de grond had gezet. 'Het s-spijt me zo! Dit is allemaal mijn schuld.'

Stacey schudde haar hoofd. 'Jij was niet in staat iets te doen.' Haar giftige blik ging van Aidan naar Tommy naar Connor, die ineenkromp. 'Jammer dat er niet wat grote sterke mannen bij waren,' snauwde ze en ze liep naar de telefoon.

'Stacey.' Lyssa's stem klonk zacht en smekend. 'Je kunt niet om hulp bellen.'

'Waarom verdomme niet?' Ze greep met een heftig trillende hand naar de telefoon. 'Omdat de politie hier dan aankomt en denkt: "Hmm? Kijk nou eens, twee gespierde ex-leden van een Speciale Eenheid die geen vinger hebben uitgestoken om een ontvoering te voorkomen!"'

Connor stak zijn kin omhoog. Hij wist dat ze met haar geringe informatie alle reden had om woedend te zijn, maar toch deed het hem onnoemelijk veel pijn dat ze hem belachelijk maakte. Het ging niet om trots of om zijn ego; die hadden allebei gedurende zijn leven al aardig wat deukjes opgelopen. Dit voelde hij in zijn hart, dat nooit betrokken genoeg was geweest om pijn te voelen.

Zijn verrekte hart deed nu ongelofelijk veel pijn.

'Jij weet niet hoe ze is, Stacey,' zei hij voorzichtig. 'We konden niets doen zonder Justin in gevaar te brengen.'

'Bullshit!' Staceys ogen waren groot en donker; de verwijde pupillen lieten nog maar een smal randje over van de heldergroene irissen. Haar huid en lippen waren bleek, haar handen trilden. 'Jullie zouden allebei – in je eentje! – zowel haar als die freak met dat masker hebben kunnen omleggen!'

'Weet je zeker dat ze maar met zijn tweeën waren?' vroeg hij. Ze viel stil. 'Door die getinte ramen konden we de achterbank niet zien.'

'Er zat nog iemand achterin,' verzekerde Aidan hem.

'Iemand deed de deur dicht aan de passagierskant nadat Tommy was uitgestapt.'

Hier dacht Stacey even over na.

Connor ging verder; ze moest het begrijpen. 'Justin is voor haar van waarde vanwege jóú, Stace. Rachel was bereid te vechten, met als doel Justin vermoorden en jou in zijn plaats mee te nemen. Daarmee zou de inzet worden verhoogd, en vertrouw ons maar: Rachel zet graag torenhoog in. Er was een reden dat ze zo vlak naast het open portier stond. Ik weet zeker dat ze daar een zwaard binnen handbereik had liggen, waar ze meteen naar zou grijpen zodra een van ons zou reageren.'

'Wat zijn dat in godsnaam voor antiquiteiten waar jullie in handelen,' snauwde ze, 'die zoveel waard zijn dat er mensen voor ontvoerd worden?'

'Hé.' Lyssa praatte zachtjes. Ze kwam dichterbij en legde haar arm om Staceys rillende schouders. 'Laten we even naar de keuken gaan, dan vertel ik je het hele verhaal.'

'Maar ik moet verdomme toch de politie bellen.'

'Laat me je eerst het een en ander uitleggen. Als je dan de politie nog wilt spreken, breng ik je zelf naar het bureau.'

'Zijn jullie wel goed bij je hoofd allemaal?' riep Stacey met schorre stem. 'Mijn zoon is weg en jullie willen dat ik het erbij laat zitten?'

'Nee,' mompelde Connor. Er zat een pijnlijke knoop in zijn maag. 'We willen dat je gelooft in ons – je vrienden. De mensen die van je h-hou…'

Het woord bleef steken in zijn keel; nog meer minachting van haar zou hij niet aankunnen. Hij had haar teleurgesteld. Hij had niets kunnen doen zonder Justins leven in gevaar te brengen, maar haar ook niet kunnen afschermen tegen pijn.

Liefde. Was dat het goede woord? Hij gaf om haar, wilde bij haar zijn. Het was afschuwelijk om haar zo kapot te zien. Hij wilde haar glimlach en haar lach zien, haar zachte aanraking en ademloze kreetjes van genot horen. Hij wilde haar leren kennen en zichzelf aan haar geven. Was dat liefde?

Misschien was het wel de kiem ervan. De eerste ontluiking. Zou het tere plantje nu verwelken en afsterven? Of kon hij de schade nog repareren en had hij een kans om het te zien opbloeien?

'Ik ben je beste vriendin, Stace.' Er zat iets scherps in Lyssa's lieve stem dat dwars door Connors gedachten sneed. 'Ik hou van jou. En ik hou van Justin. Ik wil hem net zo graag terug hebben als jij.'

Connor kreeg een brok in zijn keel toen Stacey in huilen uitbarstte en tegen haar vriendin aan leunde, waarbij haar zwarte krullen zich met Lyssa's blonde lokken vermengden. Ze maakte geluiden van hulpeloosheid en wanhoop, die hem verscheurden. Ze was zijn vrouw, de enige die hij ooit had gehad. Het was zijn taak om haar te beschermen en veilig te stellen. In plaats daarvan had hij haar aan het gevaar blootgesteld dat haar zo diep had gekrenkt.

'Bruce!'

Hij rukte zijn blik los van Staceys rug terwijl ze de kamer uit liep en keek naar Aidan. 'Wat?'

'Kom even bij zinnen, dan gaan we dit oplossen.'

'Ik bén bij zinnen.' Het tegendeel was waar. Het voelde of hij uit elkaar gescheurd werd. Wat een vreemd gevoel was dat. Zijn hart op de ene plek, zijn hoofd op de andere, zijn lichaam klaar om de jacht te openen. 'We kunnen ze opsporen door die mobiele telefoon. McDougal heeft daar de apparatuur voor.'

Aidan knikte gespannen. 'Is altijd handig als je ineens uit het niets een bod krijgt voor een onschatbaar artefact. Dan sporen we, voor we tot de transactie overgaan, de dealer op om te controleren of hij wel legaal is. Maar daarmee weten we nog niet wat Rachel wil.'

Door de tijd die Connor in Aidans stroming had doorgebracht, lagen Aidans herinneringen ook in zijn hoofd opgeslagen. Vanaf het moment dat Rachel haar eis op tafel had gelegd, had hij door de herinneringen gebladerd maar er niets in kunnen vinden wat ook maar in de buurt kwam van een drie-eenheid. Voor zover Aidan wist zat het artefact dat Rachel wilde niet tussen de door hem verkregen spullen.

Connor ging met beide handen door zijn haar, gefolterd door de gedempte huilgeluiden uit de keuken. 'Rachel is ofwel compleet de weg kwijt, of ze heeft het over die klont modder van jou.'

'Shit.'

'Ik zei toch dat ik bij zinnen was,' mompelde hij.

Stacey gilde en in de kamer naast hen hoorden ze glas breken. Hij kromp ineen. Als Lyssa haar over de Schemering vertelde, zou het er allemaal niet beter op worden.

'De duffeltas ligt in de auto,' mompelde Aidan, en hij vloog de deur uit.

Connor keek naar het mobieltje dat hij vasthield. In gedachten begon hij een lijstje te maken van alle noodzakelijke spullen. Hij moest transport hebben, kleding, een koeltas met eten en drinken…

'Wat hebben jullie in godsnaam met mijn beste vriendin uitgehaald?' vroeg Stacey kil, toen ze de kamer binnenkwam.

Connor rechtte zijn schouders en keek haar recht in de ogen. 'We hebben haar leven gered.'

'Bullshit.' Haar ogen schoten groen vuur, wat eerlijk gezegd een opluchting was na de leegte van daarvoor. 'Jullie hebben haar wijsgemaakt dat jullie tegen dromen vechten en dat zij een of andere duistere profeet is.'

'Profetie,' corrigeerde hij haar. 'En we zijn Elitestrijders, Stacey. We vechten niet tegen dromen, we beschermen ze.'

Aan het trillen van haar onderlip kon hij zien dat ze pijn leed. Maar tegelijkertijd straalde ze woede uit. Haar schouders stonden naar achteren, kaar kin koppig naar voren, klaar om het in haar eentje tegen de wereld op te nemen.

'Ik wist wel dat er iets mis met je was,' zei ze bitter. 'Het was allemaal te mooi om waar te zijn. Wat wil je?'

Hij trok een wenkbrauw op.

'Kom op nou,' snauwde ze. 'Er duiken twee prachtige mannen uit het niets bij ons op. Ze hebben geen verleden en mijn kind wordt ontvoerd. Toeval? Ik dacht het niet.'

Het duurde even voor haar beschuldiging bij hem binnenkwam. Toen: 'Denk je soms dat ik dit heb beraamd?' Met open mond keek hij haar aan. 'Denk je dat ík iets met Justins ontvoering te maken heb?'

'Het is de enige logische verklaring.'

'Wie heeft er gezegd dat deze shit logisch moet zijn?'

Connor stak zijn arm uit en trok haar naar zich toe, waarbij hij zijn vrije hand in haar haar liet glijden en haar nek naar achteren trok, zodat ze gedwongen werd hem aan te kijken. 'We hebben de liefde bedreven. Ik ben in jou geweest. Hoe kun je me van zoiets vreselijks beschuldigen na wat we met elkaar hebben gedeeld?'

'Het was seks, meer niet,' zei ze. Maar haar borst drukte tegen de zijne en haar ogen vulden zich met tranen.

Bereid om alles – maar dan ook alles – in het werk te stellen om haar vertrouwen terug te winnen liet hij haar los, nam toen haar hand in de zijne en sleepte haar mee naar de keuken.

Lyssa stond op de drempel te wachten, maar ging vlug aan de kant. Connor liep naar het houten messenblok op het witte, met mozaïek ingelegde aanrechtblad en haalde er een mes uit. Knarsetandend draaide hij zich naar Stacey om en maakte een diagonale snee in zijn borstkas, van zijn schouder naar zijn buik.

Bij het zien van het stromende bloed over zijn bovenlijf zette ze het op een schreeuwen. Hij gooide het mes in de roestvrijstalen wasbak en zei: 'Blijf naar me kijken.'

Het branden begon, gevolgd door de jeuk. Zijn huid genas bijna onmiddellijk. Het was een oppervlakkige wond geweest, die snel weer verdween, in tegenstelling tot Aidans diepe jaap, die uren nodig had gehad om te helen.

'Holy shit,' fluisterde ze. Haar knieën begaven het en ze viel bijna.

Maar hij ving haar op en hielp haar naar de dichtstbijzijnde tafel in het ontbijthoekje. Ze raakte zijn huid aan en veegde door het bloed om te zien dat er geen snee meer zat.

Op dat moment kwam Aidan weer binnen. Hij zette de zwarte duffeltas neer naast haar elleboog, ritste hem open en haalde er het boek uit dat hij van de Oudsten had gestolen, samen met het in stof gewikkelde bundeltje. 'We moeten dit ding schoonmaken, Bruce, en zien of we er iets over kunnen terugvinden.'

'Ik moet naar McDougal,' zei Connor, 'voor Rachel belt.'

'Je kunt daar niet heen. Je komt nooit langs de beveiliging.'

'Moet jij eens opletten.' Connor glimlachte vastberaden. 'Ik ben niet in staat de taal van de Oerouden te lezen – bij die lessen viel ik altijd in slaap – maar ik kan overal inbreken en iedereen in elkaar slaan.'

Aidan wilde er iets tegen inbrengen.

'Vertrouw me nou maar, Aidan. Dit is een goed idee. In plaats van je baan op het spel te zetten, kun je nu het slachtoffer spelen van een ontvoering of iets in die trant. Jou treft geen blaam.'

'Het is een kutplan,' mompelde Aidan.

'Hé, dat soort plannen heb ik van de beste leermeester geleerd.'

Aidan gromde, maar zei uiteindelijk toch: 'Ga dan maar. Dan zoek ik wel uit waarom ze die godvergeten drie-eenheid zo graag wil hebben.'

Stacey pakte het boek en sloeg het open. Ze liet haar vingers over de tekst gaan. 'Wat is dit?'

Omdat hij op wat voor manier dan ook contact met haar wilde, legde Connor zijn hand op haar schouder en boog zich over haar heen. 'Voor er virtuele databases bestonden, documenteerde ons volk onze geschiedenis in teksten, net als jullie.'

'Kun je dit niet lezen?' vroeg ze. Haar blik was strak op de omslaande pagina's gevestigd.

'Nee. Onze huidige taal is erop gebaseerd, net zoals jullie taal op het Latijn is gestoeld, maar alleen geleerden en de bovenmatig nieuwsgierigen – zoals Cross – weten voldoende van de pure vorm om er iets van te kunnen begrijpen.'

'Jezus,' fluisterde ze. 'Ik geloof dat ik gek word.'

Hij keek op naar Aidan, die zijn blik opving en zei: 'Wij letten wel op haar.'

Connor vond het verschrikkelijk dat hij haar niet kon troosten, maar hij wist dat zijn plek in Staceys leven op zijn best heel klein was. Ze had behoefte aan troost en veiligheid, en hij wist dat ze voor beide niet naar hem toe zou komen. Het beste wat hem te doen stond was de logistiek regelen en het vuile werk opknappen door Justin terug te halen.

Hij knikte. 'Bedankt. Ik ga de spullen halen die we nodig hebben.'

Stacey draaide zich om in haar stoel om naar hem op te kijken. 'Wat voor spullen? Wat moeten we hebben?'

'Ik ga achter je zoon aan. Daar heb ik bepaalde spullen voor nodig.'

Er verscheen een sprankje hoop in haar ogen. 'Ik ga met je mee.'

'Absoluut niet,' zei hij beslist. 'Het is niet veilig. Je moet…'

'Ga me niet vertellen dat het niet veilig is!' Ze sprong overeind. 'Als Justin daar is, ben ik daar ook. Zag je hoe bang hij was? Zag je die engerd naast hem zitten, met dat fucking masker op zodat ik hem niet kon identificeren bij de politie?'

Droeg hij een masker?' Lyssa keek bedenkelijk.

'Ja, doc. Een masker. Met zwarte ogen en nepvampiertanden. Ik vond het al doodeng om naar te kijken. Ik kan me niet voorstellen wat mijn schatje doormaakt…' Stacey zweeg met een brok in haar keel.

Connor trok haar dicht tegen zich aan, omdat hij niets anders kon, maar ze maakte zich worstelend van hem los. Ze liep naar de andere kant van het kookeiland, alsof ze hem met die hindernis van zich af kon houden.

Hij beet op zijn tanden, diep geraakt door haar afwijzing.

'Een masker…' fluisterde Lyssa door haar witte lippen. 'O nee!'

Connor zag dat ze begreep wat dit betekende. Hij had geen idee hoe Rachel de door een Nachtmerrie aangetaste Beschermer bestuurde, maar los daarvan betwijfelde hij of ze de teugels strak genoeg had zitten om Justins veiligheid voor lange tijd te garanderen.

De klok tikte.

Connor stak het mobieltje in zijn zak en maakte zich op om te gaan. Ik ben weg.'

Aidan ging op de stoel voor de duffeltas zitten.

'Ik zal even koffiezetten,' zei Lyssa.

'Ik pak mijn spullen,' mompelde Stacey en ze liep de keuken uit.

Connor knarsetandde en rende de deur uit, voorbereid op ruzie. Hij ging Stacey niet op het spel zetten, ze kon maar beter meteen aan dat idee wennen.

Hij stapte Lyssa's Roadster in en reed weg.

Hoofdstuk 13

Het ritje van het enorme gietijzeren beveiligingshek naar de voordeur van het landhuis van McDougal was verre van kort. De weg was minstens drie kilometer lang en liep over de nogal steile heuvel omhoog in een reeks scherpe bochten. Overal stonden op paaltjes camera's die Connor scherp in het oog hielden, een voorzorgsmaatregel waar het team van McDougal niet geheimzinnig over deed.

Doordat Connor Aidans herinneringen had gezien, wist hij dat zijn vriend de eerste keer lichtelijk geïntimideerd was geweest door de nogal dreigende verwelkoming. Maanden later kon Aidan er nog steeds nerveus van raken, maar de baan sloot zo perfect aan op zijn behoeften dat hij het onaangename gevoel op de koop toe nam. Het loon en de ongelimiteerde reiskostenvergoeding waren goud waard.

Connor had de luxe noch de neiging om nerveus te worden van de taak die voor hem lag. Stacey en Justin hadden hem nodig en persoonlijk ongemak deed er niet toe.

Hij reed de oprit op en parkeerde Lyssa's BMW op de parkeerplek met Aidans naam. Het huis stond vlak om de hoek. Dit kleinere gebouw was voor Aidan.

Als Aidan aan de slag ging, stond er een team van zes assistenten voor hem klaar. Doordat hij eigenlijk in Mexico had moeten zitten was het gebouwtje uitgestorven, wat Connor perfect uitkwam. Hij zou de spullen die hij nodig had even 'lenen', al zou McDougal dat waarschijnlijk als diefstal opvatten.

Hij nam Aidans sleutels uit zijn zak en haalde de zware deur van het slot. Hij duwde hem open. Het licht ging aan en onthulde een met linoleum bedekte hal met kamers aan weerzijden.

Ergens deed het hem denken aan de grot in de rots in de Schemering en de privézaal in de Tempel van de Oudsten, met de vloer in veelkleurige draaiingen en af en toe een glimp van de sterrendeken in de ruimte. Bizar, wist hij, om deze steriele menselijke omgeving met de mysteriën van de Schemering te vergelijken, maar het déjà-vu hield aan.

Connor ontgrendelde de derde deur rechts. Door zijn bewegingen werd de sensor bij de deur geactiveerd en sprong het licht aan. Verspreid door de kamer stonden roestvrijstalen tafels, bedolven onder elektronica in verschillende stadia van montage. Tegen de muur aan de overkant stond een speciaal ontworpen rek met tientallen laptops erop. Daar ging hij als eerste op af.

Doordat Aidan zo lang was weggeweest waren ze allemaal opgeladen. Connor pakte de eerste de beste, om die in de computer te scannen en zo te activeren.

Het niveau van McDougals beveiligingsapparatuur was

ongelofelijk, zelfs voor Connor met zijn enorme kennis. Hij vroeg zich vaak af waarom de goede man zo bezeten van het verleden was en waarom hij in het hier en nu zo neurotisch op zijn hoede was. McDougal liet nooit bezoekers binnen en werd vaak vergeleken met Howard Hughes in de latere stadia van zijn dementie.

'Wie bent u?'

Connor sprong op bij het geluid van McDougals karakteristieke raspende stem. Hij keek achterom, maar hij was alleen in de ruimte. McDougal sprak door de glasheldere speakers die in elke hoek stonden opgesteld.

'Connor Bruce,' antwoordde hij en hij probeerde zich de man voor te stellen die bij die stem hoorde. Het klonk bijna alsof hij aan de beademing lag.

'Moet ik u kennen, meneer Bruce?'

Met een verwrongen glimlachje schudde Connor zijn hoofd. 'Nee. Ik denk van niet, meneer McDougal.'

'Waarom wilt u er dan met mijn dure apparatuur vandoor gaan?'

Connor, die net de tot leven gebrachte laptop in zijn zachte hoesje wilde steken, verstijfde even. Een redelijke vraag. En hij vond Aidans baan belangrijk genoeg om eerlijk antwoord te geven. 'Er heeft zich een dringend probleem voorgedaan en ik heb hulp nodig.'

'Aha. Jullie huurlingtypes verkeren nooit helemaal buiten gevaar, of wel?'

'U neemt dit nogal goed op,' vond Connor.

'Hoe past meneer Cross in dit plannetje van u?'

'Ik heb hem de hersens ingeslagen en zijn auto en zijn sleutels gejat.'

'En wonder boven wonder kent u de weg in mijn gebouw, alsof u er kind aan huis bent?'

'Eh… zoiets ja.'

Er viel een lange aarzelende stilte. Connor ging door met spullen verzamelen die hij nodig had om Rachels mobiele signaal mee op te sporen. 'Ik ben een bijzonder vermogend man, meneer Bruce.'

'Ja, meneer, dat weet ik.' Hij pakte de tas, ging de kamer uit en liep met vaste tred de gang door.

'Dat heeft een goede reden.'

'Dat geloof ik graag.' Connor toetste de code in om de deur naar het wapenmagazijn te openen.

'Ik laat me niet misbruiken.'

Het sleutelmechanisme piepte en met een scherp sisgeluid sprongen de pneumatische sloten open. Connor duwde de zware deur open en zette zijn tas op de tafel in het midden van de ruimte. Een paradijs voor scherpschutters.

'Ik maak geen misbruik van u, meneer.' Hij trok pistolen uit hun rek en legde ze naast de laptop. 'Ik beloof u dat ik alles wat ik vandaag meeneem ook weer terugbreng.'

'Ook meneer Cross?'

'Met name Cross,' zei Connor en hij vulde de magazijnbuis met kogels. 'Weliswaar met een dikke bult op zijn hoofd, maar verder zonder een schrammetje.'

'Ik ben geneigd u tegen te houden.'

'Ik ben geneigd om u dat niet makkelijk te maken.'

'Op dit moment wordt Cross' voertuig omringd door twaalf gewapende manschappen.'

Connor voelde achter zijn schouder en raakte het heft van zijn zwaard aan.

'Hmm… ik heb een voorliefde voor zwaarden,' zei McDougal.

'Ik ook. Ik kan er een hoop rotzooi mee trappen. Niet zo'n leuk gezicht, dus ik zou liever een vreedzamere route nemen, als u het niet erg vindt.' IJverig werkte hij door. Hij gooide nog een doos kogels leeg en vulde enkele reserve-magazijnen.

'U kunt aardig goed met wapens overweg, meneer Bruce.'

'Dat is een vereiste voor huurlingtypes.'

'Ik kan wel wat meer mannen als u gebruiken,' zei McDougal. Het klonk terloops, maar Connor wist dat Aidan aan zijn genade was overgeleverd. 'En u bent me eigenlijk iets verschuldigd voor mijn medewerking, vindt u zelf ook niet?'

'Wat wilt u?'

'Hulp bij een toekomstige taak. Die ik uitkies.'

Connor zweeg. Hij keek bars naar de wapens in zijn handen. Zijn instinct was zeer goed getraind en hij vertrouwde er onvoorwaardelijk op. Op dit moment ging het keihard tekeer. Hij slaakte een diepe zucht. 'En Cross behoudt zijn baan?'

'Jazeker. Het is tenslotte niet zijn schuld dat u hem de hersens hebt ingeslagen.'

'Inderdaad.'

'Uitstekend!' De voldoening droop van zijn schorre stem af. 'Dat doet wonderen voor mijn humeur. Misschien kunt u wat assistentie gebruiken? Mankracht? Apparatuur?'

O ja… hij zat echt flink in de problemen als McDougal verwachtte dat zijn 'krediet' dat allemaal waard zou zijn. Maar wat maakte het uit. Als hij een pact met de duivel sloot, kon hij het maar beter goed doen.

'Al die dingen zouden van pas komen,' zei hij, en hij ging weer aan het werk. 'En kan ik misschien ook een helikopter krijgen?'

Aidan keek omlaag naar het nogal kleine filigranen drie-hoekje met het complexe ontwerp en vroeg zich af hoeveel het waard was. Het was dun, met een doorsnede van onge-veer vijf centimeter en had geen achterkant. Hij kon er dwars doorheen kijken, dus zat er geen vakje in waar iets in verborgen kon zitten. Sterker nog, als hij dit had gevonden zonder te weten wat het was, had hij waarschijnlijk gedacht dat het een hangertje of een ander sieraad was.

'Hé.' Lyssa pakte de stoel naast hem, ging zitten en zette een kop dampende koffie voor zich neer. 'Is dat het?'

Hij haalde zijn schouders op en draaide het boek om zo-dat ze de tekening kon zien die erin stond. 'Het is zeker een van de dingen die ik hoopte te vinden, maar er zijn nog andere stukken die erbij horen om het te laten werken, en die hebben we niet.'

'In elk geval is het een driehoek,' zei ze. 'Dat is een goed teken.'

'Ja, dat biedt hoop. Er staat iets bij vermeld over de Mojave-woestijn. De coördinaten hier...' Hij wees naar de pagina. '...corresponderen met dat gebied, en dat lijkt bevestigd te worden door wat er over grotten vermeld staat.'

Ze legde haar hand op de zijne. 'Ik maak me zorgen. Als Justin iets overkomt, denk ik niet dat Stacey dat aankan. Hij is alles wat ze heeft.'

'Dat weet ik.' Hij ging rechtop zitten. 'De Oudsten weten zwakke plekken altijd heel goed te vinden en uit te buiten. Ik had al iets als dit zien aankomen. Ik had alleen niet verwacht dat ze Stacey te grazen zouden nemen.'

'Dat had niemand kunnen bedenken.'

'Connor zei al dat ze misschien kwetsbaar was vanwege haar band met jou. Ik dacht dat hij me liep te belazeren. Het leek me een excuus voor zijn belangstelling in haar. Ik had het duidelijk verkeerd.'

'Volgens mij vindt hij haar echt leuk.'

'Ja.' Aidan slaakte een diepe zucht. 'Dat denk ik ook.'

'En wat gaan we nu doen?' Ze liet hem los en leunde naar achteren.

'Ik zal nog meer van dit soort dingen moeten gaan zoeken...' hij hield het filigranen driehoekje omhoog. '...met behulp van een boek dat geschreven werd toen het landschap er nog heel anders uitzag dan nu. Ik zal vaker weg zijn dan hier vertoeven. Als Connor en Stacey het na vanavond goedmaken, zal ik me een stuk beter voelen. Ik kan niet iedereen in mijn eentje beschermen, Lyssa. De problemen blijven zich maar opstapelen.'

'Ik weet niet zeker of we wel genoeg hebben aan zijn hulp, hoe waardevol die ook is.'

'Dat is waar.' Aidan perste zijn lippen op elkaar. 'We hebben versterking nodig. Hoe eerder hoe beter. Connor moet bedenken wie hij het beste uit de Schemering kan laten overkomen. Ik heb de mannen niet meer gezien sinds ze rebellen zijn geworden. Ik heb geen idee wie deze klus aankan.'

Lyssa boog zich naar hem toe en drukte een kus op zijn wang. 'Ik vind het ongelofelijk wat de Beschermers allemaal opofferen voor ons.'

'Wij hebben deze puinhoop veroorzaakt, schoonheid.' Hij omsloot de achterkant van haar nek met zijn handen en streek met zijn neus tegen de hare. 'Dus moeten wij hem ook opruimen.'

Hun aandacht werd getrokken door het geluid van een auto die de oprit op kwam rijden. Toen arriveerde er nog een auto. En nog een. Ze sprongen overeind en renden naar de voordeur. Stacey ging op de veranda staan en keek met een lege blik naar de invasie.

Een heel wagenpark kwam Staceys tuin binnengereden.

Hummers, Magnums, Jeeps en busjes. Koplampen schenen in alle richtingen terwijl ze aanstalten maakten om de oprit in de volle breedte te bedekken.

'Holy shit,' zei Lyssa.

'Ik word gek,' mompelde Stacey met haar handen op haar bezwete heupen. 'Er is geen andere verklaring voor deze waanzin.'

Connor sprong uit de dichtstbijzijnde auto, een zwarte Magnum. Hij zag Aidan naar hem kijken en haalde zijn schouders op. 'Ik heb wat versterking meegebracht.'

'Dat kun je wel zeggen.'

Het werd weer donker in de tuin toen de koplampen werden gedoofd. Mannen en vrouwen stapten uit de voertuigen. Er gingen achterkleppen open, waar een vracht aan uitrusting uit tevoorschijn kwam.

Connor sprintte het trappetje op en gebaarde de anderen hem te volgen, het huis in. 'Dit wordt ons hoofdkwartier, Stace,' legde hij uit, terwijl hij de deur voor haar en Lyssa openhield. 'Er zit een transponder in Rachels mobieltje, die zijn locatie naar een ontvangertje aan haar kant doorstuurt. Door alles hier op te zetten lijkt het alsof we ons hier hebben verschanst.'

'Doe wat je wilt met het stomme huis,' zei ze met een harde blik in haar groene ogen. 'Als ik Justin maar terugkrijg, kan de rest me gestolen worden.'

De hordeur werd opengetrokken. Er kwam een stroom mensen in stedelijke camouflage-outfits binnenvallen.

'Ten eerste,' zei Connor tegen de groep in haar geheel, terwijl hij naar Tommy wees. 'Verdoof hem zodat hij buiten bewustzijn blijft.' Hij keek naar Stacey. 'Wij nemen hem mee naar het hotel. Kun je een briefje schrijven waarop staat dat Justin jou heeft gebeld en over heimwee klaagde? Verzin maar iets. Schrijf bijvoorbeeld dat je geen ruzie wilde, en daarom bent gekomen en vertrokken zonder hem waker te maken.'

Stacey trok een wenkbrauw op.

'Het is het meest geloofwaardige wat we hem op zo'n korte termijn kunnen wijsmaken,' zei Connor. 'Als je een beter idee hebt, hoor ik het graag.'

'Fuck, het moet maar.'

'Inderdaad.' Connor keek naar Aidan. 'Nou?'

'Het is driehoekig,' antwoordde Aidan, 'maar het is een klein onderdeel van een groter geheel. Pas als ik de andere stukken ken, kan ik erachter komen waar het toe dient.'

Connor ving de tas op die McDougals mannen hem toewierpen. 'Ik moet me even gaan aanpassen aan de laatste mode.' Hij gebaarde naar de zwart, wit en grijs geklede mensen om hen heen. 'McDougal was niet erg ruim gesorteerd toen het op sportkleding aankwam.'

'Hoe ben je hier in vredesnaam mee weggekomen?' vroeg Aidan.

'Een of andere gunst.'

'Ik sta achter je,' zei Aidan.

'Bedankt. Ik moet me even omkleden voordat Rachel belt. Hopelijk kunnen we haar locatie bepalen.'

Connor liep de hal door naar de gastenbadkamer, die zachtgroen geverfd was. Stacey hield van kleur omdat ze een kleurrijke persoonlijkheid had. Dit bedacht hij terwijl hij onder douche stapte, en hij stond even stil bij het feit dat dit soort dingen hem opvielen.

Er was een Beschermer in de Schemering die Morgan heette en die al eeuwenlang zijn 'neukmaatje' was. Als hij zin had in een vluggertje zonder verwachtingen en nog minder conversatie, was zij degene die hij opzocht. Maar toch, ondanks het grote aantal keren dat hij het bed met haar had gedeeld, kon hij zich niet herinneren hoe haar huis er vanbinnen uitzag. Hij wist dat ze van bloemen hield en hij nam altijd een bosje voor haar mee, maar had geen idee wat haar lievelingsbloem was of haar lievelingskleur.

Over Stacey wilde hij alles weten.

Waarom zij? Waarom nu?

'Ach, wat maakt het uit!' mompelde hij en hij spoelde de zeep uit zijn haar. Pogingen om zijn gevoel te begrijpen leverden alleen maar koppijn op. Hij gaf om haar. Punt. Waarom moest hij zo nodig weten waarom? Het was gewoon zo.

Toen Connor een paar minuten laten de stomende badkamer uit kwam, zag hij dat de woonkamer, de ontbijthoek en de keuken waren gevorderd.

Het geroezemoes van stemmen viel plotseling stil. Hij

fronste zijn wenkbrauwen. Toen hoorde hij de ongeïnspireerde ringtone van een mobieltje. Aha. Daarom was het zo stil. Op een drafje liep hij naar de drempel tussen de woonkamer en de keuken. Aidan zag hem, en wierp hem de telefoon toe.

Connor ving hem op en klapte hem met een moeiteloos gebaar open. 'Ja?'

De telefoon werd met een snoer aan de laptop op tafel verbonden, die in beeld werd gehouden door een jonge vrouw met streng achterovergekamd bruin haar zonder emoties op haar gezicht. Ze stak haar duim op om aan te geven dat het traceren in gang was gezet.

'*Kapitein Bruce,*' zei Rachel poeslief, '*hebt u de drie-eenheid?*'

'Gouden driehoekje van krulwerk?' vroeg hij. 'Dat heb ik.'

'*Uitstekend, zodra hij veilig in mijn bezit is zal ik iemand sturen...*'

'O nee.' Hij kneep harder in de telefoon. 'Gelijk oversteken. Als ik de jongen in levenden lijve zie, zie jij de drie-eenheid.'

'*U krenkt me, Kapitein. Na alles wat we samen hebben meegemaakt, vertrouwt u me nog steeds niet?*'

'Nee. Voor geen cent.'

'*Nou, goed dan. Kom maar naar de parkeergarage van het Del Mar-winkelcentrum in Monterey.*'

'Begrepen.' Hij keek naar het meisje achter de laptop.

Ze schudde haar hoofd.

Verdomme, hij moest haar nog even aan de praat zien te houden...

'Rachel? Mag ik je een advies geven? Die jongen komt heelhuids terug.' Onheilspellend bracht hij zijn stem omlaag. 'Anders heb je een groot probleem.'

Connor knarsetandde toen Rachel begon te lachen, maar hij wachtte tot zij de verbinding verbrak voor hij zelf ophing.

'Volgens de positie van de laatste toren kwam dat telefoontje niet uit het noorden,' zei de brunette, 'maar uit de omgeving van Barstow.'

Aidan keek naar Connor. 'Ze is onderweg naar Mojave.'

'Kunnen we nu gaan?' vroeg Stacey, die de keuken uit kwam.

Ze droeg een zwart geribbeld hemdje, een stedelijke camouflagebroek en soldatenkisten. Maar nog belangrijker was haar gezichtsuitdrukking. Aan haar brandende ogen en samengeknepen lippen kon Connor zien dat het nog lang niet makkelijk zou worden haar ervan te weerhouden om met hem mee te gaan. 'Waarom help je Aidan niet van hieruit?' stelde hij voor.

'Leuk geprobeerd,' antwoordde ze. 'Maar ik blijf niet thuis zitten wachten.'

Hij keek weer naar Aidan. 'Stuur je iemand naar Monterey?'

Ze kenden elkaar zo goed dat ze geen aanvullende woorden nodig hadden. De kans dat Rachel haar onderhandelingstroef alleen zou laten was zo klein, dat ze die gerust 'verwaarloosbaar' konden noemen.

Justin was bij haar. Monterey was een afleidingsmanoeuvre. Omdat het drie uur zou duren om Mojave te bereiken en nog een aantal om naar Monterey te komen, probeerde ze tijd te rekken.

'Ik ben heus niet gek, hoor,' zei Stacey terwijl ze naar hem toe liep. Ze kwam maar net tot aan zijn schouder, maar stak haar handen in haar zij en keek erbij alsof ze hem best aankon. 'Jij denkt zeker dat je mij mee naar Monterey kunt sturen, hè? Mojave is dichterbij. Je hoopt dat je dit allemaal kunt afhandelen voordat ik in gevaar kom.'

Connor moest zijn best doen om streng te blijven kijken. Eigenlijk wilde hij glimlachen. 'Als Justin in Monterey is, dan wil jij daar waarschijnlijk ook zijn.'

'Moet je horen.' Ze boog haar hoofd opzij. 'Ik ga met jóú mee. Als jij naar Monterey gaat, ga ik daar ook heen, Als jij naar Mojave gaat, ga ik daar ook heen. Pak je spullen nou maar, dan kunnen we gaan.'

Stacey keek naar Aidan. 'Welke auto nemen we?'

'Stace, alsjeblieft.' Lyssa stond op uit haar stoel aan het hoofd van een klein tafeltje. 'Blijf bij mij.'

'Sorry, doc. Gaat niet gebeuren.'

Connor greep haar bij haar arm en leidde haar door de overvolle woonkamer heen naar buiten. Hij nam haar mee naar de verste uithoek van de veranda, naast het slaapkamerraam, zo ver mogelijk weg van al het volk dat het huis in en uit liep.

Met knikkende knieën liep Stacey achter Connor aan. Ze hoopte maar dat hij niet zag hoe wankel haar passen waren. Ze was als de dood dat hij een manier zou vinden om haar achter te laten. Misschien was haar gevoel dat ze bij hem moest zijn wel onredelijk, maar ze kon het niet van zich af schudden. Haar huis was niet langer van haar. Lyssa was een en al schuldgevoel, en Aidan was er alleen maar op gericht om alles soepel te laten verlopen. Ze voelde zich een buitenstaander, verloren, verward en echt godvergeten bang.

Connor was haar enige rots in de puinhoop die haar leven nu was. Hij was stoïcijns, er helemaal klaar voor. In de aanslag. Wat moest ze als hij haar achterliet?

Hij bleef stilstaan en slaakte een zucht. Door het dak van de veranda was hij in schaduwen gehuld, maar zijn ogen glommen van emoties waar ze zowel naar verlangde als aanstoot aan nam.

'Stacey,' begon hij met dat lage, volle accent waar ze zo dol op was. 'Wat kan ik doen om je hier te laten blijven?'

'Niets.' Haar stem klonk heser dan ze wilde.

'Schatje.' De zweem van pijn in zijn stem maakte haar aan het huilen.

'Je kunt me hier niet achterlaten, Connor. Alsjeblieft.'

Hij omsloot haar gezicht met zijn handen en drukte zijn stevige lippen op haar voorhoofd. 'Ik kan niet nadenken als je bij me bent. Ik zou me veel te veel zorgen om jou maken.'

'Alsjeblieft,' smeekte ze fluisterend. 'Neem me alsjeblieft mee. Ik word gek hier.'

Hij stond op het punt om nee te zeggen, dat zag ze aan hem. Haar handen balden zich in zijn T-shirt tot vuisten. Zijn huid was zo warm dat ze door het zwarte katoen heen kon voelen hoe vochtig hij was. 'Je bent me wat verschuldigd,' zei ze. 'Ik zweer je dat ik het je nooit zal vergeven als je me achterlaat. Dan maken wij nooit meer een kans – jij en ik – als je zonder mij gaat.'

Gespannen bracht hij zijn hoofd omhoog. 'En nu wel?'

Ze slikte; haar borstkas werd samengeknepen door een mengeling van ellende en verlangen.

'Stacey?' Hij drukte zijn halfopen mond op de hare en liet zijn tong erlangs schieten.

'Ik weet het niet,' fluisterde ze tegen zijn mond. 'Ik kan het allemaal niet overzien. Wat jij bent… wat dit betekent… Maar ik heb je nodig. Ik moet bij je zijn.'

Connor hield zijn voorhoofd tegen het hare aan en vloekte binnensmonds. 'Dan moet je naar me luisteren. Ieder bevel zonder aarzeling opvolgen.'

'Ja,' beloofde ze, en ze ging dicht tegen hem aan staan. 'Ja, wat je maar wilt.'

'Je bent een nagel aan mijn doodskist,' mompelde hij en hij nam met diepe, bezitterige likjes bezit van haar mond. Met zijn duimen wreef hij langs haar jukbeenderen en hij veegde haar natte tranen weg. Hij hield haar bijna te stevig vast, zijn passie dreigde hem te overspoelen.

Ze verwelkomde het, verwelkomde zijn warmte en kracht nu zij die niet had, en ze miste het toen hij zich met tegenzin losmaakte.

'Kom, we pakken onze tassen,' zei hij met een zucht vol berusting. 'Hoe sneller we vertrekken, hoe sneller we Justin terug hebben.'

Vol dankbaarheid hield ze hem nog even tegen. Ze kuste hem nog één keer. 'Dank je wel.'

'Ik vind dit helemaal niks,' gromde hij. 'Helemaal niks.'

Maar hij deed het toch, omdat hij geen nee kon zeggen tegen haar. Er zat iets liefs aan zijn overgave.

Stacey stopte het gevoel weg. Ze zou het een andere keer wel nader onderzoeken.

Hoofdstuk 14

Connor hield zijn blik strak op de snelweg gericht. Hij vroeg zich af waar zijn verstand was gebleven. Dat was kennelijk in rook opgegaan, anders zou Stacey nu niet naast hem in de auto zitten.

'Dus jullie volk is onsterfelijk?' vroeg ze aarzelend.

Hij verstevigde zijn greep om het stuur. De krachtige HEMI-motor van de Magnum voerde hen met 140 kilometer per uur over de autosnelweg, maar doordat hij zo rusteloos was, voelde het of ze stilstonden. Ze gingen niet snel genoeg om op tijd bij hun bestemming aan te komen.

'We kunnen wel gedood worden,' zei hij uiteindelijk, 'maar dat kost een hoop moeite.'

'Ga je Rachel v-vermoorden?'

Even keek hij haar aan. 'Misschien is dat nodig, ja.'

Ze knikte.

'Ik zal er alles aan doen om dit netjes te houden, maar als het erop aankomt, mag dit niet mislukken.'

'Nee, dat klopt.' Ze glimlachte trillerig om hem gerust te stellen, en hij kromp ineen. 'Ik dacht al dat je me misschien kon gebruiken toen je me dit pistool gaf en me uitlegde hoe ik het moet gebruiken.'

'Dat is om jezelf mee te beschermen. Maak je om mij nou maar geen zorgen, Stacey.' Hij legde zijn hand op de hare, waarmee ze het pistool vasthield. 'Hou jezelf in leven. Dat is het allerbelangrijkste.'

Er viel een lange stilte die niet heel gemakkelijk was, maar ook niet ongemakkelijk.

Met een zucht draaide ze zich naar hem toe. 'Dus ik moet beide armen recht vooruitsteken en de trekker blijven overhalen tot ik alle kogels heb afgeschoten. Zelfs als het doelwit al op de vloer ligt?'

'Ja, dan helemáál. Met een pistool kun je hen niet vermoorden. Je kunt ze alleen lang genoeg vertragen om mij het karwei af te laten maken.'

'Met het zwaard.'

'Precies. Beschermers genezen van de meeste verwondingen, maar onze ledematen en hoofden kunnen we niet terug laten groeien.'

'Getsie.' Ze huiverde.

'En hou je ogen open. Het klinkt logisch, dat weet ik, maar door de terugslag van een pistool ga je met je ogen knipperen, en dan kun je een schot goed verkloten.'

'Ogen open. Oké.'

Het handsfree-communicatiesysteem gaf aan dat er werd gebeld. Ze keken elkaar aan. Connor activeerde de lijn en zei: 'Zeg me dat je iets goeds hebt, Cross.'

Aidans accent klonk door de speakers. 'We hebben een locatie voor de zwarte sedan. Je had het kenteken goed onthouden. Dat heeft ons naar een autoverhuurbedrijf in San Diego geleid dat al zijn voertuigen met een gps-opsporingssysteem heeft uitgerust. Je bent al aardig dicht in de buurt.'

'Waar zijn ze dan?' riep Stacey.

'Ze zijn gestopt in Barstow, vlak bij waar we het mobiele signaal zijn kwijtgeraakt. Hopelijk willen ze zich daar vannacht schuilhouden en hebben ze niet gewoon de auto achtergelaten.'

Connor keek naar het groene bord waar ze langsreden. 'Over een paar minuten zijn we in Barstow.'

'Ik heb een helikopter gestuurd,' zei Aidan. 'Die is misschien wel nodig.'

'Stace?' Lyssa's bezorgde stem kwam nu aan de lijn. 'Hoe is het met je?'

'Het gaat prima, doc.'

'De crew hier is helemaal lyrisch over je taart,' zei Lyssa. 'Ik hoop dat je het niet erg vindt. Je bent nu een paar uur weg en ze begonnen honger te krijgen.'

'Meen je dat nou?' Stacey glimlachte droogjes. 'Ze helpen me om mijn kind terug te krijgen. Ik hou van hen allemaal. Ze mogen mijn hele huis plunderen en alles opeten wat eetbaar is.'

'Hé!' riep Connor, die samen met Lyssa zijn best deed om de moed er bij Stacey in te houden. 'Bewaar ook een stuk voor mij.'

'Maak je geen zorgen.' Stacey raakte zijn onderarm aan

en trok haar hand toen snel weer weg. 'Ik bak een taart helemaal voor jou. Die je met niemand hoeft te delen.'

Zijn adem stokte van de blik die ze hem toewierp. Er zat warmte in. Haar lichaamstaal vertelde hem dat ze op haar hoede was, maar haar toenadering gaf hem hoop.

'Ze vechten er echt om,' zei Lyssa met een milde lach. 'Te veel mensen, te weinig taart.'

'Maar hij is nog steeds niet beter dan seks,' hield Aidan vol.

'Hangt van de seks af,' riep iemand op de achtergrond.

Daardoor werd er een oprechte glimlach op Staceys gezicht getoverd. Het deed Connor goed om wat leven in haar te zien. Ze was zo bleek, haar ogen waren zo groot, om haar wellustige mond zaten diepe groeven van de spanning.

'Ik krijg honger van jullie,' klaagde hij. Sinds het ontbijt had hij niets meer gegeten, en hij vocht liever niet op een lege maag.

'Oké.' Connors aandacht werd getrokken door de alertheid in Aidans stem. 'Neem de volgende afslag.'

Connor keek over zijn schouder. Hij was dankbaar dat hij zoveel dromen had gedeeld, waardoor hij had leren autorijden. Ook was hij blij dat het rustig op de weg was. De enige voertuigen achter hen waren die van de versterkingstroepen – busjes met opruimtroepen en Hummers met gewapende back-up. Ooit zou hij Aidan wel vragen waar McDougal een privéleger voor nodig had, maar voorlopig was bij dankbaar voor de hulp. 'Oké, we zitten op de afslag.'

Aidan leidde hen weg van de snelweg naar een motel zonder glorie – had die al ooit bestaan, dan was ze nu sowieso vergaan. Het gebouw van twee verdiepingen leek ooit geschilderd te zijn geweest in de kleuren perzikkleurig met bruin, maar in de gele gloed van de lampen op het parkeerterrein viel dat moeilijk met zekerheid te zeggen. De verf was afgebladderd en de kleuren waren vervaagd door de Californische zon.

Connor parkeerde de auto langs de weg naar het gebouw en zei: 'We gaan naar binnen.'

'Doe voorzichtig,' waarschuwde Aidan. 'Ik weet dat je nooit eerder als leider van een team hebt gewerkt, dus luister goed: probeer niet alles in je eentje op te knappen. McDougal omringt zich met het neusje van de zalm. Vertrouw op de kwaliteiten van je mensen. Ik weet vrij zeker dat je de hoofdprijs zult betalen voor hun hulp, dus benut die goed. Ik wil je levend terug hebben.'

'Begrepen.' Hoewel het bevel nogal onbehouwen werd medegedeeld, pikte Connor vriendschap uit de woorden. Hij putte er troost uit. Hij was in een vreemde wereld, maar hij was niet meer zo alleen als hij zich in het begin had gevoeld.

Hij verbrak de verbinding, stapte de auto uit en keek over het dak naar Stacey, die ook was uitgestapt. Zijn schouders kwamen een stuk boven het dak uit. Zij was klein van stuk en ging op haar tenen staan om hem beter te kunnen zien.

We pakken het als volgt aan,' begon hij. 'Eerst nemen we een kijkje. Even de auto en de receptiebalie inspecteren. Kijken of ze er zijn, of van voertuig hebben gewisseld en hem zijn gesmeerd.'

Ze knikte grimmig.

'Ga alsjeblieft niet de held lopen uithangen,' zei hij. 'Ik ben goed, schatje, geloof me. Maar met meerdere tegen-standers en een gijzelaar ben ik niet in staat om tegen hen allemaal te vechten en tegelijkertijd op jou te passen. Jij moet ervoor zorgen dat je buiten gevaar bent zodat ik Justin kan terugkrijgen, en me niet hoef bezig te houden met jouw redding.'

Hij zag hoe verschrikkelijk ze de gedachte vond dat haar zoon misschien heel dichtbij was en dat zij zich moest in-houden. Niettemin zei ze: 'Ik begrijp het.'

'Vertrouw je me?' Hij probeerde niet eens om de emoties die in die vraag lagen te verbergen. Op dit moment was zijn onvermogen om afstandelijk te blijven zowel zijn grootste kracht als zijn grootste zwakte.

Stacey perste haar lippen op elkaar tot ze wit waren. Er glinsterden tranen in haar ogen.

Connor sloeg zo hard met zijn hand op het dak dat ze er-van schrok. Snakkend naar adem sprong ze op.

'Verdomme! Hou nou eens op met denken aan al die losers uit je verleden en denk aan míj! Vertrouw je míj?'

'We hebben elkaar verdomme net ontmoet!' siste ze te-rug. 'Doe nou niet alsof we elkaar al jaren kennen.'

'Ik gééf om je, Stacey. Het maakt niet uit hoelang we elkaar kennen. Het zit hier,' hij sloeg op zijn borst, 'en het is belangrijk voor me. Als je eenmaal ophoudt jezelf wijs te maken dat alle mannen hetzelfde zijn, zul je beseffen dat tijd er helemaal niet toe doet.'

'Jij hebt makkelijk praten, meneertje Mijn-leven-is-oneindig.'

'Ja, en dat van jou is dat niet en jij verspilt het.' Connor stak een hand omhoog om haar de mond te snoeren. 'Ik leef al eeuwen, Stacey. Ik heb een hoop vrouwen gekend. Met sommige heb ik jaren doorgebracht. Ik heb dingen met ze gedaan waarvoor ik met jou de tijd nog niet heb gehad, maar ik weet nu al dat dit een ander verhaal is.'

Hoofdschuddend liep hij achteruit. Hij deed het achterportier aan de bestuurderskant open. 'Laat ook maar. Ik weet ook niet waarom ik het vroeg.'

'Ik zei helemaal niet dat ik je niet vertrouwde.' Ze liep naar de achterkant van de auto.

'Maar ook niet dat je dat wel deed.'

Hij gebaarde dat ze dichterbij moest komen en hield toen een schouderholster omhoog zodat zij het om kon hangen. 'Dit ga jij dragen. Doe het pistool erin. En als het moet, verdedig jezelf dan.' Hij trok de banden strak tot het holster stevig vastzat en draaide toen zijn gezicht naar haar toe. 'Maar eerst moet je wegrennen. Alleen schieten als je geen keus hebt. Begrepen?'

'Ja.'

Connor maakte aanstalten zich om te draaien. Ze greep hem bij zijn arm. 'Ik geloof niet dat je op alle anderen lijkt.' Met haar duim streelde ze rusteloos zijn huid in een onschuldige, achteloze liefkozing.

'Dat kun je verdomme wel stellen, ja,' gromde hij en hij kuste haar stevig en snel, voor ze zich kon losmaken. 'Ik ben de man die jou gaat afmatten. De man die elke keer dat hij in de stad is jou op stang zal jagen. De man die jou gaat verleiden wanneer hij de kans maar krijgt, zelfs als je nee zegt... Shit, vooral als je nee zegt.'

Met grote ogen keek Stacey naar hem op. Ze frunnikte aan haar onderlip.

'Ik kan niet beloven dat ik een pak draag en elke avond thuis eet.' Hij duwde haar weg, pakte zijn zwaard van de achterbank en hing het om. 'Maar ik kan wel beloven dat ik om je zal geven. En ik ben koppig, dus je kunt maar beter gewend aan me raken.'

Hij pakte een windjack en duwde het in haar armen. 'Laten we de wapens verbergen.' Toen keek hij omlaag naar zichzelf en kreunde. 'Goed. Nu zien we eruit als bendeleden. Fuck.'

'En dit is het moment waarop ik van pas kom.' Stacey voelde in haar zakken en haalde er een paar kleurige glitterelastiekjes uit. Binnen een paar minuten had ze twee kinderachtige staartjes op haar hoofd en zat er knalrode lippenstift op haar mond. Ze gebruikte de autospiegel om een leren halsband om haar hals te doen en draaide zich toen naar hem toe. 'Ta da!'

Connor keek bedenkelijk. 'Jasses.'

Ze haalde haar schouders op. 'Ik had bedacht dat er wel wat voor nodig was om weg te komen met die broek, dus heb ik spullen meegenomen waarmee ik er vreemd genoeg uitzie. Maar ik kan helaas niets aan jouw zwaard of die kudde bullebakken doen.' Stacey wees naar het kleine leger op luttele meters afstand van hen. 'We moeten maar gewoon doen alsof het voor een verkleedfeestje is, mocht iemand ernaar vragen.'

'Hmm... ja... Die halsband vind ik wel leuk.'

Stacey kreeg kippenvel van de intense waardering die ze in Connors blik zag. Zelfs pissig, gefrustreerd en zwaar in de stress probeerde hij haar nog steeds complimentjes te maken. Los van hoe het nu tussen hen zat, vond ze het geweldig van hem dat hij dat deed en dat hij genoeg om haar gaf om dit allemaal te doorstaan. Natuurlijk had zijn 'volk' wel degelijk belang bij wat er speelde. Maar hij vocht meer voor Justin dan voor de drie-eenheid. Dat wist ze zeker.

'Zijn we zover?' vroeg ze, met een stem die hees was van dankbaarheid.

'Reken maar.' Hij sloeg het portier dicht en greep haar bij haar elleboog. Connor keek naar de mannen die vlak bij hen stonden te wachten en zei: 'Vier van jullie gaan de omgeving verkennen. De rest komt met mij mee.'

Terwijl hij haar wegleidde, voelde ze kracht en overwicht

in zijn aanraking, en beide kon ze waarderen. Ze staken de straat over en liepen het parkeerterrein van het motel op. De stoep was versleten en gebarsten, de auto's op de parkeerplekken meer dan gemiddeld gedeukt en afgeragd. Straatverlichting was uit of stond te knipperen met een hard zoemend geluid dat keihard tot Staceys toch al gespannen zenuwen doordrong. Er lag afval op de grond en niet ver bij hen vandaan liep een hond klaaglijk te janken, wat goed bij de algehele smerigheid paste.

Ze hadden twaalf mannen bij zich. Acht ervan liepen vlak bij hen, maar er bogen er vier af na een armgebaar van Connor. Ze liepen kriskras tussen de geparkeerde auto's door.

'Weet je,' begon Stacey. 'Ik kan me gewoon niet voorstellen dat Rachel een plek als deze zou uitkiezen om te overnachten. Niet met al die andere hotels in de buurt en Mojave zo dichtbij.'

Vanuit haar ooghoek zag ze hem knikken. 'Dat ben ik met je eens. Waarschijnlijk hebben ze de auto hier achtergelaten, maar dat is wel vreemd. Ze hebben hem niet bepaald verdekt opgesteld. Moet je zien. Je kunt hem echt niet over het hoofd zien.'

Het door de wolken gefilterde maanlicht liet de zwarte verf glinsteren, waardoor de sedan makkelijk te vinden was, ook al stond hij in een onverlichte hoek van het terrein. Langzaam, en heel behoedzaam, kwamen ze naderbij. Connor ging voorop, zij liep een paar passen achter hem, samen met de anderen.

Iets verderop bleef hij staan. Hij gebaarde naar het dikke cement dat een van de lampen ondersteunde. Wacht hier even en ga op de uitkijk staan.'

'Waar moet ik naar uitkijken?' vroeg ze.

'Let op of er iemand voorbijkomt.'

Met harde blikken communiceerde hij non-verbaal met een van de mannen achter haar. 'Ik moet die auto nader onderzoeken. Daarbij wil ik niet gestoord worden. Kijk goed om je heen en luister of je verdachte geluiden hoort.'

Ze wist vrij zeker dat hij gewoon niet wilde dat ze hem in de weg liep, maar ze had beloofd naar hem te luisteren, en dat zou ze ook doen.

Zonder commentaar deed Stacey wat hij van haar vroeg. Ze liep achter haar begeleider aan en liet haar blik heen en weer over het parkeerterrein gaan. De lamp waaronder ze zich had geposteerd stond helemaal achteraan in het midden. Vanaf die plek had ze een goed uitzicht over het terrein. Er hing een afgrijselijke lucht. Ze nam aan dat deze afgelegen plek door meer dan een paar beesten – en misschien wel mensen – als urinoir was gebruikt.

Ze voelde een mengeling van walging en angst. Connor en de anderen deden haast geruisloos hun werk. Ze waren druk bezig met wat het dan ook mocht zijn wat ze bij de auto deden. De man naast haar zei niets; hij keek wezenloos voor zich uit.

Het was fris, maar Stacey vermoedde dat ze zo stond te trillen door haar eigen angst. Het fluorescerende bord knipperde, en haar aandacht werd even naar de glazen deur voor de receptie getrokken. Die was al net zo smerig als de rest van het gebouw: bespat met iets goors, en zo groezelig dat duidelijk was dat er in geen jaren water en zeep aan te pas gekomen waren.

Connor kwam naar haar teruggeslopen. Hij deed dat zo dat Stacey hem nooit had horen aankomen als ze niet zo waakzaam was geweest. Vragend trok ze haar wenkbrauwen op.

'Kom, we gaan naar het kantoor,' zei hij met een alarmerende vrolijkheid. Hij pakte haar elleboog en trok haar met zich mee.

'Waarom?'

'Omdat ik dat zeg.'

Iets in zijn stem deed haar achterom kijken. Twee van de mannen bleven in verdedigende houding bij het voertuig staan. Ze kon niet zien wat ze met de sedan hadden gedaan, als er al iets mee was gebeurd. Toen viel haar oog op een weerkaatst strookje maanlicht. Ze vertraagde haar pas.

Er droop iets uit de kofferbak op het asfalt, waar al een plasje lag dat zo te zien nog groeide. Het druppelen ging traag en de substantie moest wel dikker dan water zijn…

'O mijn god!' Ze struikelde. Connor hield haar overeind, terwijl hij in hetzelfde tempo doorliep. 'Wat ligt er in de kofferbak?'

'Onze vriend met de tanden.'

De moed zonk haar in de schoenen. Ze slikte. 'Jij dacht

dat Justin er misschien in lag, hè? Daarom wilde je dat ik wegging.'

'Het was een mogelijkheid.'

Met op elkaar geklemde kaken en naar voren gerichte blik liep hij verder.

'Je denkt dat hij dood is, hè?' Haar stem schoot omhoog terwijl ze zich van hem los probeerde te maken. 'Wat heb je daar gezien? Vertel op!'

Connor bleef staan. Hij trok haar naar zich toe. 'Maak niet zo'n kabaal, verdomme!'

Met een kort rukje van zijn kin gebaarde hij naar de andere mannen. Toen ze alleen waren, zei hij: 'Er ligt daar niks, behalve een hoofd en een lichaam, die allebei niet van jouw zoon zijn.'

'O god... o god...'

'Nu komt dat vertrouwen waar ik je om vroeg dus om de hoek kijken.'

Heftig knikkend maakte ze zich los om het claustrofobische gevoel tegen te gaan.

'Stace.' Zijn stem werd zachter. 'We gaan naar het kantoor. We moeten alle veiligheidscamera's op deze godvergeten plek uitschakelen en uitzoeken welke kamers op het moment bezet zijn. Vervolgens gaan we van deur tot deur, tot we zeker weten dat ze niet hier zijn.'

Happend naar adem boog Stacey zich voorover. Hoewel ze het een minuut geleden nog ijskoud had gehad, liep ze nu te zweten. 'Denk je dat ze nog niet weg zijn?'

'Waarschijnlijk wel, maar we moeten het zeker weten. Kom mee.' Hij trok haar omhoog en liep verder. 'Je wilde zelf mee, dus niet instorten nu.'

Hoe kon ze nou niet instorten als ze op het punt stond om over te geven? De mensen die haar zoon hadden waren van het soort dat anderen onthoofdde en hun lichaam in een kofferbak stopte.

'Ik ben misselijk.'

Hij vloekte binnensmonds en bleef weer staan. 'Doe me dit niet aan,' zei hij bruusk. 'Ik moet verder. Begrijp je dat? Ik heb je beloofd dat ik Justin zou terughalen; ik heb je beloofd dat als je me een kans gaf, het me zou lukken. Laat het nou niet mislukken, alsjeblieft.'

Ze knikte aangeslagen, terwijl ze op pure wilskracht alle afgrijselijke beelden uit haar hoofd bande. Hij had gelijk. Ze wist dat hij gelijk had. Ze zou alles verknallen als ze nu instortte. 'Ik ben er.'

Connor trok haar schouders recht en duwde haar kin omhoog. Zo maakte hij ruimte bij haar voor een diepe ademhaling. 'Je bent dapper, schatje.' Hij kuste haar op het puntje van haar neus. 'Ik ben trots op je. Kom, we gaan.'

Stapje voor stapje. Stacey wist dat ze het dan wel zou redden. Dat dacht ze tenminste, tot ze bij de deur van het kantoortje aankwamen en ze door een van de mannen werden tegengehouden.

'Misschien kan de dame beter buiten blijven, meneer,' zei hij.

Stacey besefte dat die vieze spetters op het glas bloed waren. En dat was nog maar een piepklein deeltje van al het gestolde bloed waarmee het kantoortje besmeurd was.

Ze kokhalsde.

'Niet overgeven,' gromde Connor. Hij legde een hand op haar mond en trok haar weg. Zijn stem klonk diep en rauw bij haar oor. 'De autoriteiten gaan dit onderzoeken. Je mag geen biologisch bewijs achterlaten. Begrepen? Knik als je het hebt begrepen.'

Stacey kon zich niet verroeren. Verstijfd door het afschuwelijke beeld van zojuist bleef ze op haar plek staan.

'Oké.' Hij tilde haar op en bracht haar naar buiten. 'Ik zet je wel even in de auto. Ik doe hem op slot. Hou jij het pistool in de aanslag...'

Met veel geworstel kreeg ze het voor elkaar dat hij haar weer neerzette. 'Ik kan dit aan,' zei ze. 'Ik kan je helpen.'

'Je bent een wrak,' zei hij. 'Als je zo doorgaat word je straks nog opgepakt voor moord.'

'Ik ga wel op de uitkijk staan.' Stacey zag dat hij zijn hoofd schudde. Ze legde haar hand op zijn borstkas en zei: 'Als ik je niet help, zal ik het mezelf nooit vergeven.'

'Je kunt me helpen door Aidan terug te bellen en hem bij te praten.' Connor nam haar gezicht tussen zijn handen en keek haar diep in de ogen. De emotie in de vloeibare dieptes was zelfs in het donker te zien. 'Jij bent een bijzonder en vrolijk licht in mijn leven. Zo wil ik je graag houden. Laat me je ten minste hiertegen beschermen.'

Dat liet ze even bezinken, maar ze bleef het gevoel houden dat ze hem in de steek liet. Toen keek ze even achterom naar de balie en haar maag keerde zich om.

'Ja, je hebt gelijk,' gaf ze toe. 'Ik kan het niet aan. Breng me maar terug naar de auto. Ik bel Aidan wel.'

Connor legde zijn hand op haar onderrug en bracht haar naar de Magnum, met zulke grote passen dat ze half moest rennen om hem bij te houden.

'Het spijt me,' zei ze, terwijl hij de auto openmaakte en haar de passagiersstoel in hielp.

'Waarom? Omdat je de juiste beslissing hebt genomen? Omdat je je grenzen kent?' Hij boog zich en keek haar aan. 'Ik bewonder je, schatje. Ik ben niet teleurgesteld.'

Toen ging hij weer rechtop staan en zei: 'Ik kom zo terug. Hou het pistool op je schoot in de aanslag. Bel Aidan.'

Hij deed de deur dicht en reactiveerde het alarm met de afstandsbediening. En toen was hij weg.

Stacey liet het handsfree-systeem voor wat het was en maakte direct gebruik van de handtelefoon. Aidan nam meteen op. 'Wat kun je me vertellen?'

'Hé, met mij.'

Aidans stem klonk zachter nu. 'Hé, Stace. Hoe gaat het?'

'We hebben de auto gevonden. De bestuurder is dood. Onthoofd en in de kofferbak gestopt. Er ligt ook iemand dood in het kantoor. Of meerdere personen. Ik kon niet naar binnen; er ligt zoveel bloed... liters gewoon. O-overal...'

'Sst, stil maar. Wij regelen het wel. Hoe is het met jou? Gaat het een beetje?'

'Jawel.' Ze slaakte een zucht en keek naar de lobby.

'Waar is Connor?'

'Die is even gaan kijken welke kamers bezet zijn.'

Het kantoortje lag op de hoek van de oprit en de weg. Twee stevige muren van de lobby waren van glas, waardoor je er vanaf de straat en vanuit het motel zelf naar binnen kon kijken. Het onderste deel van het uitzicht naar binnen werd geblokkeerd door een paar kaartenhouders en een met tafelkleed bedekte tafel met een koffiezetapparaat erop. Terwijl ze keek, praatte Connor met een van de mannen, die naar hem terug knikte en weer naar haar toe liep.

'Waar ben jij?'

'Hij heeft me in de auto opgesloten.'

'Mooi. Blijf zitten waar je zit. Er zijn meer mensen onderweg. Die zullen er zo wel zijn.'

'C-Connor...' Haar stem brak.

'Maak je om hem maar geen zorgen,' zei Aidan vastberaden. 'Ik heb lang met hem samen gevochten, Stace. Hij is de beste soldaat die ik ken. Als het om mijn kind ging, zou ik door niemand anders dan door hem geholpen willen worden. Zo goed is hij.'

Ze knikte schokkerig.

'Stace? Gaat het?'

'Ja. Sorry. Ik vergat even dat je me niet kunt zien.' Ze liet een hysterisch lachje ontsnappen. 'Niet te geloven dat ik vanmiddag nog taart stond te bakken.' *En de liefde bedreef met een man die me slappe knieën bezorgt.*

'Hou vol. Zodra we het motel hebben veiliggesteld, kun jij met de helikopter terug.'

Hoofdschuddend zei ze: 'Nee. Ik moet hier zijn als ze Justin vinden.'

Aidan slaakte een hoorbare zucht. 'Blijf dan naar Connor luisteren.'

'Natuurlijk.'

Ze verbraken de verbinding. Stacey bleef achter in een diepe stilte. Er stond een bewaker bij haar portier. Ze realiseerde zich dat haar hart als een dolle tekeerging en dat haar ademhaling oppervlakkig was. Van beide zaken werd ze licht in haar hoofd.

'Jezus,' mompelde ze en ze dwong zichzelf langzaam en rustig te ademen. 'Verman je, Stace.'

Haar blik werd gevangen door een glinstering van licht. Omdat ze al gespannen was, keek ze met een ruk naar links. In de berm stonden een paar boompjes.

En daar stond ook Rachel met een afschuwelijke grijns. Haar mooie gezicht was veranderd in een nachtmerrie van krassen en groeven. Aan deze verwondingen kon je zien dat ze niet menselijk was, want een mens zou hieraan bezweken zijn. Ze miste een stuk van haar schedel. Die was zo diep ingekerfd dat het bot zichtbaar was.

Maar dat was niet wat Stacey deed schreeuwen.

Wat haar pas echt in paniek bracht was de aanblik van

haar zoon, die slap en bewusteloos in een van Rachels armen hing. In haar andere hand hield ze een vervaarlijk ogend zwaard.

De bewaker, gealarmeerd door haar indringende gil, zag het lugubere koppel nu ook. Roepend in zijn headset rende hij hun kant op. Stacey worstelde met de deur, paniekerig zoekend naar het slot, en vloekend van frustratie tot het verrekte ding eindelijk openging en haar bevrijdde. Struikelend stapte ze uit, maar ze hapte naar adem toen Connor voorbijvloog. Ze probeerde erachteraan te gaan, deed een paar passen en bleef naast de bumper staan, waar ze heftig begon te kokhalzen.

Het onthoofde hoofd van de bewaker kwam rollend aan haar voeten tot stilstand, zijn blinde ogen en openstaande mond voor altijd bevroren in angst.

Toen ze opkeek zag ze minstens vijf grijnzende, demonische wezens op Connor afzwermen. Zijn zwaard, dat hij in twee vuisten vasthield, glom en flitste razendsnel in het rond. Links en rechts hakte hij ledematen af. Hij vocht in een bewegende cirkel van staal, waarbij hij ronddraaide en wervelde in een fatale dans. Er kwamen meer bewakers in camouflagepakken naar de berm gerend – wat was dit, een scène uit een horrorfilm?

Verdwaasd keek Stacey naar het ongelofelijke schouwspel. Ze bewonderde de souplesse en kracht van Connors bewegingen. Hij was groot, en toch was zijn vingervlugheid indrukwekkend. Het gaf haar vertrouwen om hem met zoveel kunde en concentratie aan het werk te zien. Zonder hem wist ze zeker dat ze verlamd van angst zou zijn. Met hem erbij voelde ze zich tot alles in staat.

Stacey zette het op een rennen, stak haar rechterhand in haar windjack en klemde hem om de greep van het pistool. Ze trok het eruit en voelde hoe zwaar het was. Nog nooit in haar leven had ze een wapen afgevuurd, maar op dit moment was ze er meer dan klaar voor om iets compleet tegen de vlakte te knallen.

Ze struikelde over een boomwortel en viel op haar knieën, wat flink pijn deed. Ze klauterde overeind en rende verder, maar de korte vertraging was een geluk bij een ongeluk, want ineens kreeg ze een schoenzool bij een boom rechts in het oog.

Justins schoen.

Stacey rende ernaartoe. Raapte hem op. Keek om zich heen. Zag de andere.

Die zat vast aan haar zoon.

'Justin!' Struikelend liep ze naar hem toe en met haar vrije hand voelde ze aan zijn lichaam om te zien of hij gewond was. Of hij nog leefde. Hij was zo bleek, zijn ogen blauw geslagen, op de zijkant van zijn gezicht zat opgedroogd bloed. Ze legde het pistool neer en schudde hem bij zijn schouders heen en weer. 'Justin! Liefje, wakker worden. Wakker worden, liefje, alsjeblieft! Justin!'

Ze stompte tegen zijn borstkas en sloeg hem op zijn wangen. 'Liefje. Liefje, doe me dit niet aan. Wakker worden, jij! Justin!'

Hij hoestte, en Stacey huilde van opluchting, ze kon nauwelijks iets zien door de waas van tranen en haar hart deed pijn, terwijl hij kreunend op zijn zij krabbelde. Ze was zo op hem gericht dat ze het gevaar pas opmerkte toen het al te laat was. Een scherpe, diepe pijn doorkliefde haar arm, en toen trok er een ijskoude rilling door de spier. Schreeuwend maaide ze wild om zich heen.

De lucht werd gevuld door een woest mannelijk gebrul. Een korte glimp van goudkleurig haar, en toen werd Rachel omhooggetrokken en weggesmeten alsof ze niets woog. De gewonde vrouw rolde weg met een gorgelende lach. Stacey keek naar haar arm en zag een enorme injectiespuit hangen.

'Ik kom terug voor wat er in je zit,' siste de vrouw, die met bovennatuurlijke kracht opzijsprong toen Connor met zijn zwaard naar haar uithaalde.

'Vuile bitch!' schreeuwde Stacey. Ze greep het pistool en viel op haar rug.

Connor tackelde Rachel en viel samen met haar op de grond. Stacey probeerde goed te richten, maar voelde een huivering door haar arm naar haar hoofd trekken. Toen wist ze dat ze bewusteloos zou raken.

Maar net voordat het zwart voor haar ogen werd, kwam Rachel overeind en vormde een perfect doelwit. Stacey richtte tussen haar gespreide benen door en vuurde de ene

kogel na de andere af, tot het hele magazijn in Rachels ge-
molesteerde lichaam was leeggeschoten. Bij elke knal
maakte de vrouw een schokkende beweging, en ten slotte
viel ze op de grond.

Lachend.

Die lach bleef Stacey achtervolgen terwijl ze langzaam
haar bewustzijn verloor.

Hoofdstuk 15

'Zo held, hoe gaat het?' vroeg Connor. Hij liet zich naast Justin op Staceys bank zakken en gaf de jongen een grote mok warme chocolademelk.

'Ik heb het ijskoud.' Onder Justins wijd opengesperde ogen zaten donkere kringen en zijn huid had een ongezonde kleur – tekenen dat hij in shock verkeerde. Er viel een pluk bruin haar op zijn voorhoofd, waardoor hij er verloren en jonger dan zijn veertien jaar uitzag.

'Ik pak een extra deken voor je.'

De voordeur stond open, en daardoor werd het alsmaar kouder, maar McDougals mannen waren nog steeds aan het ontruimen en Justin wilde niet naar zijn kamer. Liever zat hij tussen de rondlopende mensen en het gebrom van de tv, waar niemand naar keek, omdat het hem een veilig gevoel gaf om omringd te zijn door mensen.

'Bedankt, Connor.'

Connor werd diep getroffen door zijn dankbaarheid. De Oudsten zouden boeten voor wat er vannacht gebeurd was. En flink ook.

'Graag gedaan.'

Connor stond op en liep de gang door naar Justins kamer. De jongen had in de helikopter een dosis propranolol toegediend gekregen, en de komende tien dagen zou hij dat medicijn vier keer per dag slikken. De 'pil om te vergeten' zat nog in een experimentele fase, maar de resultaten van klinisch onderzoek waren veelbelovend en Connor hoopte dat het medicijn bij Justin goed zou aanslaan.

De jongen zou niet vergeten wat er was gebeurd, maar de bijbehorende emoties zouden vervagen. Zijn herinneringen zouden los van zijn gevoel komen te staan, en van hem een objectieve toeschouwer maken in plaats van een emotioneel verminkt slachtoffer. Genezers in de Schemering zouden hem met de rest komen helpen.

Connor deed net de slaapkamerdeur open toen Aidan Staceys slaapkamer uit kwam. 'Hoe is het met haar?' vroeg hij. Er zat een knoop in zijn maag.

'Ze is stabiel, maar nog buiten bewustzijn.' Aidan kwam dichterbij. 'Er zit iets in haar hoofd, Bruce. Het is klein, ongeveer zo groot als een rijstkorrel, en het hoort er niet thuis. Het valt niet te voorspellen hoe haar lichaam daar op de lange termijn op zal reageren.'

Connor ging met zijn hand tegen de muur aan staan en haalde diep adem. 'Fuck, man.' Hulpeloos keek hij zijn vriend aan. 'Weten we wat het is?'

'Ze praat in haar slaap...' Aidan huiverde. '...in de taal van de Oerouden.'

'Wát?' Met een kreun haalde Connor een hand door zijn haar. 'Hoe krijgen we het weer uit haar hoofd?'

'Medisch gezien is dat onmogelijk. Niet op dit bestaans-niveau, niet zonder haar te doden. Mensen hebben er de technologie niet voor.'

De deur naar de slaapkamer ging open en een man stak zijn hoofd naar buiten. 'Ze is bij bewustzijn geko-men.'

Connor rechtte zijn schouders. 'Kan ik het tegen haar zoon zeggen? Mag hij bij haar?'

'Ze is helder,' zei de man.

'Zeg haar dat ik er zo aankom, goed?' Connor keek naar Aidan. 'Ik moet eerst Justin even halen.'

Aidan knikte en Connor rende terug naar de woonka-mer.

'Ha,' zei hij, terwijl hij naar de bank toe liep. 'Je moeder is wakker.'

'Mag ik naar haar toe?' Justin kwam overeind en zette zijn halfvolle beker op de salontafel.

'Ja hoor, kom maar mee.' Connor hielp hem onder de berg dekens vandaan te komen en liep met hem mee naar Staceys kamer.

Zo zacht als ze konden, gingen ze de verduisterde ruimte binnen. Naast het bed stonden monitors te piepen en te knipperen. Stacey lag er met opgetrokken knieën tussen, een piepkleine, broze gestalte, die Connor een brok in zijn keel bezorgde.

'Hoi, schatje,' fluisterde ze tegen Justin en ze stak haar ar-men naar hem uit. Justin ging naast haar op bed zitten en begon te snikken. Stacey deed met hem mee; ze sloeg haar armen om haar zoon en drukte haar betraande wang tegen de bovenkant van zijn hoofd.

Connor kreeg er tranen van in zijn ogen. Hij keek de andere kant op en zag Aidan bij de deur staan. Zijn vriend gebaarde dat hij moest komen, en Connor liep naar hem toe, dankbaar voor de afleiding van alle emotie die zich achter hem afspeelde. Emotie die hem vanbinnen pijn deed, als een messteek in zijn maag.

'Ik heb even kort met haar gesproken,' fluisterde Aidan. 'Ze zegt dat Rachel van plan is terug te komen voor dat ding in haar hoofd. Wat het ook is, ze denken dat het veiliger bij ons is dan bij hen.'

Connor verstijfde. 'Of anders denken ze dat we het zouden vernietigen als het niet ergens in zat waar we zuinig op zijn. Zeg alsjeblieft dat McDougals mannen Rachel hebben gevonden.'

'Helaas niet.' Aidans stem klonk ernstig. 'Ze hebben het hele gebied uitgekamd sinds jullie weg zijn. Er is geen spoor van haar te bekennen. Ondanks haar verwondingen is ze ontsnapt.'

'Fuck!'

'Pas op je woorden,' waarschuwde Stacey.

Hij draaide zich naar haar om. Ze keek hem aan met glanzende ogen en maakte een kusmondje. Er klonk een diep grommend geluid van verlangen uit zijn keel.

'Ik weet niet wat ik moet doen,' zei hij, zich weer tot Aidan wendend. 'Ik weet niet waar ik heen moet, of wat ik moet doen, of wat ik moet voelen.'

'Doe wat ík heb gedaan,' zei Aidan. 'Vergeet wat je allemaal zou moeten en waag de sprong.'

Connor snoof. 'Niets is ooit makkelijk als er vrouwen in het spel zijn.'

'Ik zei ook niet dat het makkelijk was. Maar als je haar wilt, zorg dan dat het werkt. Het is de moeite waard om gelukkig te zijn.'

Geluk. Dat wilde Connor. Hij wilde het met Stacey. 'Oké.' En op dat moment nam hij de beslissing. 'Goed, laten we er, voordat McDougals mannen helemaal weg zijn, nog een veiligheidssysteem uit slepen. Ze hebben vast het beste van het beste. Ik wil dit huis zo goed beveiligd hebben dat Fort Knox er niets bij is. Ik zal vaak weg zijn. Ik moet zeker weten dat ze goed beschermd zijn.'

'Geweldig idee.' Aidan glimlachte, maakte de deur open en gebaarde dat hij hem voor moest gaan. 'Laten we er maar voor zorgen dat ik waar voor mijn geld krijg.'

Stacey werd wakker met een knallende koppijn. Ze hield haar beide handen tegen haar slapen gedrukt terwijl ze lag te woelen en te kreunen.

Toen botste ze tegen Justin, die mompelend iets sputterde. Fluisterend zei ze sorry. Ze draaide naar de andere kant en viel daar uit het bed. Op haar knieën raakte ze op de vloer, en ze schreeuwde het uit, terwijl ze op haar onderlip beet om andere geluiden te dempen. Een vlugge blik op de klok liet zien dat het drie uur 's nachts was. Ze betwijfelde of ze de zonsopgang zou meemaken.

Ze kroop een paar meter en stond toen uit pure noodzaak op. Het was te pijnlijk om op haar handen en knieën te blijven rondkruipen. Ze had geen idee hoe ze de gang was doorgekomen, maar in de open ruimte van de woonkamer was het koeler, wat de brandende hitte op haar huid verzachtte.

'Stacey?'

Connors zware accent wikkelde zich om haar rug en vloeide als warme honing omlaag. Ze werd overmand door opluchting. Bijna viel ze weer op de grond.

'Waar ben je?' stamelde ze, bang om haar ogen open te doen. Het maanlicht, dat door de luiken omhoog tegen het plafond scheen, was al te fel voor haar, zelfs achter haar haastig gesloten ogen. Als ze er recht in zou kijken, zou het gevoel dat er een ijspriem recht door haar hoofd werd gestoken alleen maar erger worden.

'Hier,' gromde hij. 'Ik ben hier.'

Ze voelde warme armen om zich heen, die haar tegen een harde, ontblote borstkas drukten.

'Ik ben zo blij dat je er nog bent.'

'Ik ga niet bij je weg, schatje. Zelfs als ik er niet ben, dan ben ik niet echt weg.'

'Ik heb koppijn,' jammerde ze, terwijl de tranen over haar wangen biggelden.

'De dokter heeft wat medicijnen voor je achtergelaten. Ik zal wel even…'

'Nee!' Ze greep hem vast bij zijn middel en voelde dat hij een joggingbroek aanhad. De gedachte dat hij hier was, op haar bank lag te slapen, haar beschermde, gaf haar een geliefd en veilig gevoel, op een manier die ze nog nooit in haar leven had ervaren. 'Laat me niet alleen.'

'Schatje.' Hij drukte zijn lippen op haar voorhoofd en een deel van de pijn trok weg. 'Ik kan er niet tegen je te zien huilen.'

'Doe dat nog eens,' smeekte ze. 'Kus me nog een keer.'

Met zijn mond raakte hij haar huid aan, dit keer tegen haar gesloten ogen en wimpers, om de tranen weg te kussen. Het gebonk in haar hoofd werd minder.

Ze kantelde haar hoofd naar achteren en beantwoordde zijn kus met haar lippen. Op het moment waarop ze hem proefde, raakte haar bloed verhit en begon het te stromen. Haar hartslag versnelde. Wonder boven wonder werd de slopende druk verlicht.

'Stace,' mompelde hij toen hij merkte hoe vurig ze was. 'Wat doe je?'

'Ik wil je.'

Ze voelde het verbaasde gevoel bij hem, gevolgd door het verlangen dat hij niet in bedwang kon houden.

'Je bent gek,' zei hij, maar hij had zijn handen al op haar heupen gelegd. Met zijn vingers gleed hij onder haar katoenen shirt naar de huid op haar rug.

Zijn aanraking bracht haar helemaal tot rust. Hoe meer hij haar aanraakte, hoe minder erg haar hoofdpijn werd.

'Vrij met me,' smeekte ze.

'Justin…?'

'De wasruimte heeft een deur.'

'Je zou eigenlijk niet…'

'Nu, Connor!'

'Ah, fuck.' Hij tilde haar op en droeg haar naar de achterkant van het huis. Terwijl hij de wasruimte binnenliep schopte hij de wasmand, waar de deur mee open werd gehouden, weg en deed de toegang dicht. Hij zette haar op het oude bureau dat ze gebruikte om kleding op op te vouwen en keek haar geamuseerd en vol verlangen aan. 'En nu?'

Achter in haar hoofd klonk een schril geluid dat haar deed denken aan remmende banden. 'Blijf me aanraken.'

Hij legde zijn handen op haar heupen, drukte haar tegen het bureau en liet zachtjes zijn lippen langs haar hals gaan. 'Zeg me wat je nodig hebt, schatje.'

Ze greep hem vast, omhelsde hem. Onder haar handen voelde ze zijn verhitte, zijdeachtige huid, die strak over welvende, gespannen spieren zat, en haar deed smelten. Ze kreunde toen hij zachtjes in haar oorlelletje beet. 'Ik heb je nodig.'

'Je hebt me.' Hij drukte haar met haar rug op het bureau en liet zijn hand tussen haar benen glijden. Zelfs door de dikke camouflagekleding heen wisten zijn vingertoppen haar moeiteloos te geven wat ze wilde. 'Ik ga nergens heen. We komen er wel uit samen.'

'Ja… o, wat voelt dat lekker…'

'Hmm,' zei hij instemmend, terwijl hij behendig de knoop van haar broek losmaakte en vervolgens de rits omlaagtrok. De hele tijd bleef hij met zijn lippen, tong en tanden iets heerlijks met de zachte huid van haar hals doen en met zijn andere hand ondersteunde hij haar achterhoofd zodat zijn forse, harde lichaam letterlijk om het hare gewikkeld zat. De geluiden in haar hoofd verstomden. Of ze werden overstemd doordat het bloed zo hard door haar oren stroomde.

'Connor.' Haar neusvleugels werden gevuld met zijn geur. Er was geen andere geur op de wereld als de zijne – kruidig en exotisch. Buitenlands. Ze vond het heerlijk. Haar eigen droomman.

Hij had gelijk: tijd deed er niet toe. Wat ertoe deed was hoe ze zich voelde als ze samen waren. Hij was een rots in de branding geweest toen ze hem nodig had, en ze wist dat hij dat altijd zou blijven. Zo was hij nou eenmaal.

Ze snakte naar adem toen hij zijn hand onder de rand van haar slipje liet glijden.

'Hoe gaat het met je hoofd?' Zijn stem was heerlijk duister, zijn accent zwaar en druipend van lust.

'I-ik…'

'Heb je nog steeds hoofdpijn?' Connor kuste haar vol vurige passie, waarbij hij zijn tong bekwaam over de hare liet glijden. Alles vergat ze, ze kon alleen nog maar aan hem denken. Er klonk een rauwe, scherpe grom uit zijn borstkas toen hij aan zijn vingertoppen merkte dat ze nat werd.

'O god!' kreunde Stacey en ze sloot haar ogen toen hij een vinger bij naar binnen liet gaan. 'Neuk me alsjeblieft! Schiet op.'

Met zijn mond dempte hij haar verwoede kreetjes en voorzichtig hield hij haar vast terwijl hij haar languit op het bureau legde. Hij trok haar broek tot aan haar knieën omlaag, tilde haar benen omhoog en legde ze samen op zijn schouder. Toen ze het warme, zijdezachte puntje van zijn pik voelde, kronkelde Stacey van de lust. Ze kon niet wachten om hem in zich te voelen.

'Ssst... Alsjeblieft, schatje, helemaal voor jou,' zei hij zachtjes.

Met haar handen omklemde ze de ronde hoeken van het bureau terwijl hij zijn dikke pik bij haar naar binnen duwde. Ze schreeuwde het uit, kromde haar rug van genot. Ze was helemaal strak in dit standje; hij moest met korte, hevige stoten bij haar naar binnen zien te komen.

Kermend van genot probeerde ze hem helemaal toe te laten. 'Je bent te groot voor me zo,' stamelde ze.

'Je kunt me best hebben.' Hij draaide met zijn heupen en gleed dieper naar binnen. Verder naar binnen... weer terug... centimeter voor pijnlijk verrukkelijke centimeter bezit nemend van haar lichaam.

Ze drukte haar nagels in het hout terwijl hij haar nog dieper streelde, met de brede kop van zijn pik dat gretige plekje in haar masseerde dat maar niet genoeg van hem kon krijgen.

'Stacey,' fluisterde hij schor, terwijl hij zijn heupen op en neer liet gaan. 'Je poesje is zo godvergeten strak. Als een hete, natte vuist. Zo fucking lekker. Ik denk dat ik klaarkom nog voor ik helemaal in je ben.'

'Waag het niet!' Ze omklemde haar hunkerende borsten en kneep erin. 'Jij bent hiermee begonnen. Nu moet je het ook afmaken.'

'O, afmaken zal ik het zeker.' Zijn prachtige gezicht was rood aangelopen, zijn ogen donker, zijn voorhoofd licht bezweet. 'Fuck... ja... Ik ga klaarkomen. Diep in jou.'

Lieve hemel, zou ze dat overleven?

Hij dreef haar tot waanzin en stootte steeds harder en sneller. De rand van zijn joggingbroek, die nu op zijn heupen hing, wreef tegen haar dijen. Het zag er ongelofelijk erotisch uit, net als haar houding, die helemaal op zijn genot was gericht. Met zijn heupen draaide en stootte hij, erin en eruit. Met haar poesje omsloot ze zijn pik, die op het punt stond tot een orgasme te komen.

Stacey kromde haar rug; haar hele lichaam spande zich verwachtingsvol aan. Dit had ze nodig, dit wilde ze. Om met hem verbonden te zijn, door hem begeerd te worden. 'Ja...'

Connor ging dieper; zijn zware testikels kletsten ritmisch tegen de welving van haar billen, waardoor haar poesje zich helemaal strak om hem heen trok. Met geloken ogen keek ze hem aan en nam zijn van verlangen vervulde gezicht in zich op, met de pluk goudblond haar die op zijn voorhoofd viel. Zijn borst- en bovenarmspieren stonden strak door de moeiteloze manier waarop hij haar vasthield. Zijn buikspieren spanden zich aan terwijl hij haar neukte, en de goudkleurige huid glom van het zweet.

'Je bent van mij,' zei hij knarsetandend. 'Ik hou je voor altijd bij me.'

Zijn bezitterigheid wond haar op, en dat gaf haar het laatste zetje dat ze nodig had om klaar te komen. Stacey beet op haar lip om het niet uit te schreeuwen toen het orgasme door haar lichaam trok.

Connor kreunde en neukte dwars door haar stuiptrekkingen heen, steeds sneller tot ze dacht dat ze zou gillen van genot. Alleen door de deur naast hen en hun behoefte aan privacy werd ze gedwongen om stil te blijven.

Ze voelde hem opzwellen, onmogelijk veel harder worden, en toen kreunde hij: 'Stacey...'

Met zijn heupen beukte hij tegen de hare, waardoor het oude bureautje heen en weer schoof, en hij drukte zijn vingers in haar bovenbenen. Zijn pik schokte en toen spoot hij, waardoor zij met een dikke, hete stroom gevuld werd. Hij bleef bezit van haar nemen, in haar strakke, verlangende poesje stoten, om zijn lust en liefde diep in haar te legen.

'Fuck,' stamelde hij toen het was afgelopen, en hij legde zijn wang tegen haar kuit. 'Je vermoordt me nog eens.'

'Mijn hoofdpijn is weg,' zei ze verwonderd en buiten adem.

'En ik voel mijn eigen hoofd niet meer,' rapporteerde Connor. 'Volgens mij heb je het eraf geblazen.'

Ze lachte, puur, vrouwelijk en triomfantelijk.

Connor zette een stap naar achteren en trok zich uit haar terug. Hij veegde zijn pik af met een handdoek en trok zijn joggingbroek omhoog. Daarna maakte hij haar schoon en kleedde haar aan.

'Kom eens hier, liefje.' Connors stem zat vol tederheid terwijl hij haar in zijn armen nam.

Stacey hield hem stevig vast. 'Ik geloof dat ik verliefd op je aan het worden ben,' gaf ze verlegen toe. 'Ik hoop niet dat ik je nu de stuipen op het lijf jaag. Ik heb altijd de neiging om halsoverkop in het diepe te springen, en bij jou...'

Hij drukte zijn lippen op de hare, en legde haar het zwijgen op. Spring maar,' zei hij schor. 'Dan spring ik met je mee.'

Hoofdstuk 16

Philip Wager keek met grote ogen naar de data op het scherm, terwijl zijn hart in een wanhopig, razend tempo tekeerging. Met witte knokkels omklemde hij de rand van het bedieningspaneel, voordat hij zichzelf dwong om het los te laten. Hij schoof de stoel naar achteren en kwam overeind.

'Fuck,' fluisterde hij, terwijl hij zijn best deed om de informatie op het scherm te bevatten. 'Dat is onmogelijk.'

'Kennelijk niet,' mompelde een stem achter hem.

Hij draaide zich om en keek zijn bezoeker aan, huiverend bij de aanblik van de man die daar stond. Zijn zwaard lag achter hem, buiten bereik; daardoor was hij volledig overgeleverd aan het puntje van het zwaard dat tegen zijn borstkas prikte. 'Oudste Sheron,' antwoordde hij en keek over de in grijze stof gehulde schouder naar de grottengang erachter. Hij zocht zowel naar een manier om binnen te komen als naar een hulpbron. Beide zag hij nergens.

'Wager,' begroette Sheron hem op gemoedelijke toon.

'Hoe bent u hier binnengekomen?'

'Ik kan overal binnenkomen. Ik heb niet meegeholpen aan de opbouw van de Schemering, maar elke upgrade en verbetering die de afgelopen paar eeuwen aan de matrix is gedaan komt van mij.'

Philips hart stond even stil toen de waarde van die kennis tot hem doordrong.

'Ik zie dat je de mogelijkheden op waarde schat.' Sherons stem was vervuld van de trots van een mentor. 'De meeste Oudsten kozen ervoor om hun aandacht te schenken aan het maken van regels. Zij geloven dat die de bron van onze autoriteit vormen. Maar ik wist dat onze ware kracht ligt in het feit dat we de Schemering konden creëren. Daar wilde ik dus alles over weten. Die kennis verzamelen werd als de minst aantrekkelijke taak beschouwd; kon ik ongestoord mijn gang gaan.'

'U hebt die bug geplant.' Er schoten honderden vragen door Philips hoofd, maar van het antwoord op deze was hij zeker.

'Ja, en ik heb altijd geweten dat jij degene was die diep genoeg zou graven om dat te achterhalen. Ik heb geprobeerd je te laten vermoorden, maar daar kreeg ik geen medestanders voor. De anderen wisten niet waarom ik dat wilde. Zij vonden het opschorten van jouw promotie een voldoende straf voor vermeende overtredingen die ik uiteraard een tikkeltje heb uitvergroot.' Minachtend wuifde de Oudste met zijn hand. 'Omdat je geen toegang had tot de apparatuur die nodig was om mij te verraden, liet ik het gaan. Maar ik wist dat dit op een dag zou gebeuren.'

'Wat doet u?' vroeg Philip, terwijl hij achteruit naar zijn

zwaard liep, dat in zijn schede op een tafel in de hoek lag.

'Dit moet u eeuwenlang hebben lopen plannen.'

Sheron trok zijn kap naar achteren, en glimlachte kil. 'Ja, dat klopt. En dat is precies waarom ik jou niet alles kan laten bederven. Al die eeuwen waarin ik mijn tijd heb afgewacht, mijn zetten langzaam maar zorgvuldig heb gepland. Kun je je voorstellen hoeveel geduld daarbij komt kijken? Ik zit er nu zo dichtbij. Maar jij bent in staat om binnen een seconde roet in het eten te gooien.'

'Leg eens uit wat u van plan bent,' zei Philip voorzichtig, terwijl hij nog steeds achteruitliep in de hoop dicht genoeg bij zijn zwaard te komen om het te kunnen grijpen en zichzelf te verdedigen. 'Ik kan u helpen.'

'Jij gaat ervan uit dat mijn motieven altruïstisch van aard zijn en je wilt me helpen. Of misschien hoop je me gewoon af te leiden, zodat ik niet zie dat je bij je wapen probeert te komen.'

Phillip bleef staan en haalde zijn schouders op. Sheron lachte.

'Misschien is het een troost,' zei de Oudste, 'dat jouw opoffering de grotere zaak zal dienen.'

'O, echt?' teemde Philip. 'En ik maar denken dat je gewoon niet wilde dat ik zou doorvertellen dat je een halfsterfelijke dochter hebt.'

'Dat is ook nog een dingetje, ja. Er zijn maar twee mensen die daarvan weten, en dat is er eentje te veel.'

'Ze heeft een relatie met een Beschermer gekregen.' Voor

Philip waren de mogelijkheden van de paring even talrijk als angstaanjagend. 'Was dat al die tijd uw opzet?'

Sheron greep zijn zwaard steviger vast. 'Mijn excuses, Luitenant. De tijd tikt door. Ik moet je nu doden. Ik heb geen tijd voor koetjes en kalfjes.'

Philip ging op zijn hurken zitten.

Met een fatale stoot haalde de Oudste uit.

Hoofdstuk 17

Langzaam haalde Stacey haar voet van het gaspedaal toen
ze haar huis naderde. Van een afstandje liet ze het uitzicht
op haar gezinnetje op zich inwerken. Connor stond als een
goudkleurige god in het licht van de ondergaande zon; zijn
ontblote rug glom van het zweet door zijn inspanningen,
zijn sterke spieren spanden zich aan terwijl hij nog een
schroef in het witte houten hekje boorde, dat haar oude
gaashek zou gaan vervangen.

Vanaf het moment dat de makelaar haar het huis had laten zien, was de moderne omheining haar een doorn in het
oog geweest. Connor, die haar zo goed kende, had haar verrast door een kleine verandering op stapel te zetten terwijl
zij gisteren aan het werk was. Hij deed steeds van dat soort
dingen – hij voelde aan wat ze graag wilde en zorgde ervoor
dat het gebeurde. Dat was een van de vele, vele dingen die
ze zo leuk aan hem vond.

Terwijl ze zat te kijken, kwam Justin naar buiten, ook
zonder shirt. Hij gaf Connor nog een schroef aan en toen
gaf Connor hem de accuboor. Met engelengeduld zette
haar droomminnaar haar zoon een veiligheidsbril op en
liet hem toen zien hoe hij het gereedschap moest gebrui-

ken. Justin zette zelf de rest van de plank vast. Toen deed hij een stap naar achteren om trots te bekijken wat hij had gemaakt, en zijn jeugdige gezicht kreeg een totaal andere uitdrukking.

Stacey kon haar liefde maar moeilijk indammen. Ze kreeg tranen in haar ogen; haar neus begon te lopen. Ze pakte een zakdoekje en dwong zichzelf diep en gelijkmatig adem te halen. Als ze zich te druk maakte, kreeg ze een bloedneus, een bijwerking van het ingebrachte deeltje in haar hoofd waar ze Connor niet ongerust mee wilde maken.

Alsof hij aanvoelde dat ze naar hem keek, hief Connor zijn hoofd op. Hij zag haar daar zitten en reageerde met een grijns en een armgebaar. Stacey vermande zich, drukte op het gaspedaal en reed naar het huis. Ze sloeg de oprit in en zette de motor af. Nog voor ze de sleutel uit het contact had kunnen halen stond hij al naast haar, maakte het portier voor haar open en hielp haar naar buiten.

'Ik heb je gemist,' gromde hij en trok haar blozend tegen zich aan. 'En wat een geweldige doktersjas heb je aan.'

Ze moest lachen omdat ze hem maf vond, maar was er tevens blij om. Zelf was ze ook een beetje gek, en het was geweldig om haar leven te delen met een man die dat deel van haar begreep. 'Dat zeg je van al mijn doktersjassen.'

'Ja, maar deze is mijn favoriet. Hij is sexy.'

Met opgetrokken wenkbrauwen keek ze omlaag naar

haar kleding. 'Ik doe toch echt iets verkeerd als je twee cartoonhondjes sexy vindt.'

'Ah, maar kijk nou hoe het vrouwtje met die lange wimpers naar het mannetje knippert. Dát is nog eens romantiek.'

Stacey schudde haar hoofd en keek naar hem op. Ze koesterde zich in de warme, tedere gloed in zijn ogen. 'Is romantiek sexy dan?'

'Dat kun je wel stellen, ja,' mompelde hij en hij nam met een stevige, snelle kus bezit van haar mond. Toen hij zich terugtrok, stonden zijn ogen vol verlangen. 'Met Justin in de buurt kan ik niet veel verder gaan dan je kussen. Zelfs daar krijgt hij al een ongemakkelijk gevoel van.'

'Maar vanavond ben je van mij,' zei ze en ze gaf hem een tikje op zijn billen.

'Reken maar.' Connor pakte haar bij haar hand en trok haar mee naar het huis. 'Ik wil je iets laten zien.'

'O ja?'

Elke keer als hij haar iets 'liet zien', was ze er helemaal ondersteboven van. Zijn zoektocht naar artefacten dwong hem om veel te reizen, maar onderweg bleef hij altijd aan haar denken. Dat wist ze doordat hij heel vaak belde en altijd een massa cadeautjes voor haar meenam. Ze had geen idee hoe hij het deed, maar hij kreeg het voor elkaar om zijn cadeautjes gespreid aan haar te geven tijdens zijn veel te korte bezoekjes aan huis. Stacey wist dat zij daar nooit het geduld voor zou hebben. Maar ze moest toegeven dat zijn manier echt heel leuk was.

Hij liep met haar door de woonkamer naar de slaapkamer en deed de deur achter hen dicht.

'En Justin dan?' zei ze, terwijl haar bloed sneller ging stromen. Connors idee van een vluggertje deed een seksuele marathon van menige andere man verbleken. Een keer gingen ze net de deur uit om hem naar het vliegveld te brengen toen hij bedacht dat hij graag op een intieme manier afscheid wilde nemen... nóg een keer. Zijn handbagage, zijn broek en haar doktersjas hadden binnen een halve minuut op de vloer gelegen. Binnen nog eens vijf minuten had hij haar zover gekregen dat ze orgastische kreetjes in de kussens van haar bank slaakte, terwijl hij haar woest van achteren nam.

'Hij zit op me te wachten.' Zijn glimlach bezorgde haar vlinders in haar buik. 'Die kant van de oprit krijgen we voor zonsondergang wel af.'

Connor gooide haar handtas en sleutels op het bed, pakte de zoom van haar doktersjas en trok hem uit over haar hoofd. Onmiddellijk dook hij naar de glooiing tussen haar borsten en ging er liefkozend met zijn neus langs.

'Jammie... Je ruikt lekker,' klonk zijn gedempte compliment.

'Je bent niet goed wijs.'

'Ik meen het.' Hij hief zijn hoofd omhoog en trok een wenkbrauw op. 'Jij en die appeltaart van jou ruiken het allerlekkerst in deze stinkende wereld.'

Lachend haalde ze haar vingers door zijn dikke haar. 'De wereld stinkt helemaal niet.'

'Maak dat de kat wijs.' Hij pakte haar riem vast en trok haar broek naar beneden, waarbij hij even een moment nam om zijn handwerk te bewonderen terwijl zij haar gympen uitschopte. 'Kijk, dát is nog eens sexy.'

'Beter dan cartoonhondjes?' Ze knipperde met haar wimpers.

De laatste tijd was ze lichamelijk goed in vorm, wat te danken was aan de workout die ze van hem kreeg als hij thuis was en de extra aandacht die ze aan haar uiterlijk besteedde als hij weg was. Ze vertrouwde hem onvoorwaardelijk, wist dat hij met elke centimeter van zijn ruimhartige hart van haar hield, zag het bewijs van zijn opgekropte verlangen en de lust in zijn blik meteen zodra hij haar op het vliegveld in het vizier kreeg. Maar ze vergat ook nooit dat de man buitenaards mooi was. Hij zag er voor haar adembenemend uit, en het minste wat ze kon doen was proberen hetzelfde voor hem te doen.

'Misschien,' zei hij met een kwajongensachtige knipoog.

Zogenaamd beledigd liet ze haar mond openvallen. Hij stak zijn hand achter haar rug om haar beha los te maken.

'Oké.' Zijn accent werd zwaarder bij het zien van haar ontblote borsten. 'Dát is in ieder geval beter dan cartoonhondjes.'

'Nou, gelukkig maar.'

'Maar niet hét,' zei hij plagerig, terwijl hij op zijn hurken ging zitten en haar slipje mee naar beneden trok. Connor kuste haar op haar bekken en ging weer staan. 'Kom maar mee.'

Met zijn hand op haar onderrug leidde hij haar naar de badkamer. Daar stond hun nieuwe bubbelbad klaar, vol dampend water en omringd door niet-aangestoken kaarsjes. Over de breedte van het bad lag een metalen dienblad met een klein kristallen vaasje lelies erop – haar lievelingsbloemen – en een keurig geopend doosje luxe bonbons.

'Wow!' Ze floot, terwijl ze in gedachten de dagen en data afging om zich te herinneren of er misschien een jubileum of andere bijzondere gelegenheid was. Maar ze kromp ineen door een pijnscheut in haar hoofd en hield er meteen mee op. Dit was niet het moment om een bloedneus te krijgen.

Wie had kunnen weten dat het menselijk brein maar een beperkte hoeveelheid informatie kon opslaan voor het explodeerde? Godzijdank was er iemand in de Schemering die een oogje in het zeil hield. Luitenant Wager had haar onderbewust in haar slaap een briefje aan zichzelf laten schrijven toen Connor er een keer een nacht niet was.

Ik werk eraan. Hou vol.

P.S. Wow! Wat een geweldige dingen heb je hier zeg.

Hoe dan ook. Stacey vond het in ieder geval fijn om te weten dat er iemand actief aan het werk was om haar te helpen. Ze had geen idee wat ze zonder Wager zou moeten. Connor zou het als een gek proberen te fiksen, en ze wist dat hij niets kon doen. Dat wist ze door de eeuwen aan informatie die nu in haar schedel zaten. Ze moesten de data haar hoofd uit zien te krijgen, en alleen de Elite in de Schemering had daar de technologische middelen voor.

'En, vind je het wat?' vroeg Connor stralend.

'Zeker,' bevestigde ze. Ze draaide zich naar hem toe en ging op haar tenen staan om hem te kussen. 'Waar is dit voor?'

'Voor dat "het" waar ik het over had.'

'Dat was niet het bad?'

'Nope.' Hij stak zijn hand naar haar uit en hielp haar de badkuip in.

Nadat ze zich met een kreun van genot onder water had laten zakken, pakte Connor een aansteker en stak alle kaarsjes aan. Toen kuste hij haar en zei: 'Ik ben zo terug.' Hij liep de ruimte uit.

Stacey bleef even liggen, terwijl ze probeerde te bedenken wat hij in zijn schild kon voeren. Ze liet haar blik over het bad gaan, met een vol en licht gevoel in haar hart. Ze pakte een bonbon en zag toen iets: er lag een opgevouwen stuk papier onder de goudkeurige doos. Benieuwd trok ze het eruit en vouwde het open.

Aanvraag voor huwelijksakte.

Stacey verstijfde.

De gegevens van de bruidegom waren al ingevuld met duidelijke blokletters.

Ze slaakte een lange zucht, en toen verscheen er een brede grijns op haar gezicht. Sommige vrouwen droomden misschien van een romantisch aanzoek, smoking, en/of grootse gebaren. Voor haar was Connors gebaar perfect, omdat het recht uit zijn hart kwam. Ze wist dat hij zijn gevoelens moeilijk onder woorden kon brengen, maar hij was er een kei in om ze te laten zien. Na een leven vol mannen met mooie praatjes en weinig inhoud vond ze het heerlijk om het tegenovergestelde type te hebben ontmoet.

Ze hoorde Connors lage stem op de veranda; waarschijnlijk stond hij iets aan Justin uit te leggen. Stacey bleef zich erover verbazen hoe graag hij dat deed. Hij was er ook goed in, en dat sloot heel natuurlijk aan op zijn zorgzaamheid. Hij zei altijd dat hij een en al spiermassa was, maar in haar ogen was hij een en al gevoel.

Met een tevreden zucht stopte ze het waardevolle formulier voorzichtig terug. Ze begon zichzelf te wassen, haar lichaam voor te bereiden op de lange nacht vol passie die voor haar lag.

'Betekent die dromerige glimlach wat ik denk dat hij betekent?'

Ze draaide haar hoofd om. Connor stond met natte haren en een handdoek om zijn heupen geslagen tegen de deurpost geleund. Het beeld deed haar denken aan hun eerste nacht samen en haar hart sloeg op hol. Ze vond het heerlijk als hij zo geil van haar werd dat hij geen minuut langer kon wachten om in haar te zijn. Te zien aan de tent die zijn pik van het badstof maakte, was dat nu bijna het geval.

'Betekent dit papiertje wat ik denk dat het betekent?' antwoordde ze met een plagerige knipoog.

'Als je denkt dat het betekent dat ik van je hou en je op elke mogelijke manier tot de mijne wil maken, dan is het antwoord ja.'

'Ik verlang naar je.' De schorre klank in haar stem liet geen twijfel bestaan over haar verlangen. Ze kon er niets aan doen. Altijd als hij de woorden 'houden van' in de mond nam was haar instinctieve reactie om hem te bespringen. Om hem vast te houden en door hem te worden vastgehouden. Om de inspanning van zijn mooie lichaam te voelen terwijl hij haar hard en langdurig neukte. 'Is het al negen uur?'

Zijn lome, sensuele glimlach veroorzaakte een huivering in haar onderbuik. 'Nee. Maar Lyssa en Aidan zijn net weg met Justin. Hij logeert vannacht bij hen.' Met een snelle ruk liet Connor de handdoek vallen, waardoor zijn geweldige pik werd onthuld. 'Om negen uur ben je mij allang aan het smeken om even op adem te mogen komen.'

'O ja?' Ze likte aan haar lippen toen hij naar haar toe liep en draaide zich om om op haar knieën te gaan zitten.

'O ja,' bevestigde hij, en hij boog zich voorover om de jacuzzi aan te zetten.

Ze hadden de oude douche en het bad moeten vervangen toen hij bij haar introk, omdat Connor er niet in paste.

Connor had een aantal artefacten aan McDougal verkocht, en ze zaten goed in hun slappe was. Ze hadden makkelijk naar een groter, moderner huis kunnen verhuizen, maar geen van hen wilde dat. Liever knapten ze hun bestaande huisje op.

Connor stapte de badkuip in en ze hield hem tegen. 'Wacht even.'

Hij verstrakte, maar toen zijn pik verder opzwol wist ze dat hij begreep wat ze wilde.

'Liefje...' Er zat een zweem van verlangen in zijn stem waar haar tepels hard van werden. Hij vond het geweldig als ze hem pijpte. Geweldig op een manier waardoor zij het heerlijk vond om te doen. Bij Connor werd ze daar zo geil als boter van.

Met druipend natte handen greep ze zijn erectie vast en trok ze zijn omhoog staande pik in haar verlangende mond. Haar tong schoot naar buiten, likte langs het kleine gaatje aan de bovenkant en hij begon hevig te trillen.

'Stace,' hijgde hij, terwijl hij met zijn handen door haar vochtige haar ging. 'Je vermoordt me nog eens.'

De glimlach die ze hem toewierp was een en al ondeugendheid. 'Maar goed dat je onsterfelijk bent, hè?'

Ze deed haar mond open en zoog zijn dikke eikel een klein beetje naar binnen, terwijl ze plagerig met haar tong over het gevoelige stukje vlak daaronder ging. Connor stond te trillen op zijn sterke benen. Met één hand greep ze zijn billen vast.

'Ja,' kreunde hij, terwijl hij zijn heupen zachtjes heen en weer liet gaan. 'Je mond is zo geil... Zoals je mijn pik likt...'

Als ze had kunnen glimlachen, had ze het zeker gedaan. Ze vond het heerlijk als hij haar zo prees, en zo zachtjes met zijn handen over haar hoofd bewoog, zelfs midden in het vuur van zijn verlangen. Ze deed nog harder haar best hem te bevredigen: haar zuigen werd krachtiger, haar vingers masseerden zijn stevige billen. Haar hoofd ging op en neer terwijl ze met haar mond de volle, kloppende lengte van zijn pik bereed, geleid door zijn gekreun en schorre keel-klanken. Ze nam hem zo diep als ze kon, tot hij helemaal achter in haar keel zat.

'Fuck. Ah, fuck, dit is zo godvergeten lekker, Stace.'

Ze trok zich terug, likte hem en liet haar tong om zijn met sperma bevochtigde eikel gaan, waarna ze hem er in de volle lengte mee streelde. Met het puntje van haar tong elke kloppende ader volgde. Ze hield zijn ballen in haar hand en liet ze zachtjes heen en weer rollen, waarna ze haar vinger naar achteren stak en zijn perineum masseerde.

Hij snakte naar adem en vloekte, terwijl hij steeds verder opzwol. Ze kreunde van genot, haar poesje was helemaal nat en geil van het idee dat die grote pik straks in haar zou stoten.

'Ik ga klaarkomen,' waarschuwde hij, terwijl hij haar mond met onbedachtzame stoten neukte, die hij kort hield door zijn pik met zijn vuist bij de basis vast te houden.

Ze zou zich nu kunnen terugtrekken en hem haar laten

berijden. Dat vond hij ook heerlijk, en hij zou niet klagen, maar dit was wat ze wilde. Ze wilde hem uit elkaar voelen vallen op een manier die alleen mogelijk was als hij niet half op haar orgasme was gericht. Ze liet een bemoedigend geluidje horen, en Connor gromde.

'O ja,' kreunde hij met zijn zware accent. 'Zuig op mijn pik, schatje. Laat me klaarkomen. Ik ben er zo dichtbij… fuck… o ja… Stace!'

Connor spoot. Zijn schorre kreten van ontlading vulden de badkamer met een sensuele melodie waar ze nooit genoeg van kreeg. Hij rukte zich los, trok haar omhoog en bedolf haar borst onder een lading sperma, waarna hij haar met haar billen op de rand van de badkuip zette en in haar gretige, verlangende poesje stootte.

Ze schreeuwde het uit van schrik en genot; het gevoel van hem in haar was zo verrukkelijk. Hij sloeg zijn warme lichaam om het hare en drukte zijn bezwete voorhoofd in het kuiltje van haar hals. 'Ik hou van je.'

'Connor.' Stacey sloeg haar armen om hem heen en hield hem vast. 'Ik hou ook van jou, liefje.'

Hij wreef met zijn borstkas tegen de hare en liet toen een bulderende lach horen. 'Ik ben eeuwen ouder dan jij, schatje.'

'Kniesoor die erop let,' mompelde ze, terwijl ze zijn smaak van haar lippen af likte.

'Ik heb een hoop geleerd in mijn vele jaren,' zei hij zachtjes en draaide met zijn heupen. Ze hapte naar adem toen er golfjes van pure hitte door haar heen trokken vanuit het punt waar hij haar streelde. 'Zoals dit.'

Hij trok zich terug en kwam toen een klein stukje naar binnen. Toen trok hij zich opnieuw terug en stootte heel diep. Stacey kronkelde en gleed uit over de natte badrand. Connor grijnsde en hield haar heupen stevig met zijn handen op hun plek. 'Lekker?'

Hij bleef op en neer bewegen en neukte haar poesje met adembenemende stoten. Hij wist precies waar hij zich op moest concentreren om haar te laten smeken. Hij brandmerkte haar van binnenuit met zijn verhitte en keiharde pik. Hij was niet in het minst verzwakt door zijn eerste orgasme. De man had een ongelofelijk uithoudingsvermogen. Godzijdank had hij het juiste meisje gevonden, want zij nam alles wat hij had en wilde dan nog…

'…meer,' spoorde ze hem aan, terwijl ze haar nagels in zijn huid drukte.

'Maar je bent zo strak. Volgens mij is dit alles wat je aankunt.' Zijn grijns was een en al mannelijke voldoening.

Stacey spande elke vezel van haar lichaam aan om te zien hoe zijn ogen donkerder werden en zijn wangen rood aanliepen. 'Ik kan je heus wel hebben, grote jongen.'

Hij duwde haar naar achteren en legde zijn handen aan weerszijden van haar lichaam. 'Ik heb niet zoveel grip met mijn voeten in een jacuzzi vol bubbels.'

'Ja, ja, slecht excuus.' Ze zette haar handen achter zich en sloeg haar benen om zijn heupen. 'Gelukkig maar dat ik aan fitness doe.' Ze spande haar bovenbeenspieren aan, hief haar billen omhoog en liet zichzelf om zijn pik heen glijden.

'Fuck,' hijgde hij met strakke buikspieren. 'Dat voelt verdomde lekker.'

Ze trok een pruillip. 'Ik wil klaarkomen.'

'U vraagt, wij draaien.' Hij stak zijn hand tussen hen in, legde zijn duim op haar clitoris en duwde zijn pik in trage, korte stootjes bij haar naar binnen. Ondertussen bleef hij doorwrijven.

'Ja,' fluisterde ze, genietend van het gevoel dat ze werd uitgerekt om hem in haar te laten passen. 'O god, ja!'

Ze bereikte een hoogtepunt, en zoals altijd fluisterde hij stoute dingen in haar oor om haar orgasme te laten voortduren.

'Zo mooi... dat lekkere kleine poesje dat mijn pik afzuigt.' Connor bleef haar strelen, terwijl ze nog steeds naar adem snakte. 'Ik ga je mee naar bed nemen en je berijden zoals ik dat wil: hard en diep.'

'Doe het,' zei ze snikkend, en ze klampte zich aan hem vast terwijl haar lichaam opging in gelukzaligheid.

Hoe ze naar het bed waren gekomen, zou ze nooit weten. Ze wist alleen nog dat ze tegen een harde borstkas werd gedrukt, dat er een krachtig hart tegen haar oor aan bonsde, gevolgd door een koele zachtheid onder haar vochtige rug toen hij haar op een bed van rozenblaadjes neerlegde.

'Trouw met me,' zei hij en schoof een antieke smaragden

ring om haar vinger. 'Laat me voor altijd van je houden.'

'Ja.' Ze huilde zachtjes en kromde zich onder hem toen hij zich in haar liet glijden, met haar samenkwam.

Hen sterker maakte. Samen.